Attention,
courrier piégé !

BIOGRAPHIE

Jérôme Ého est né à Paris, en 1969. Il est marié et a deux enfants, Megane et Thory. Ce qu'ils font ? Des bêtises ! Il a longtemps été directeur artistique dans la publicité. Il écrit maintenant des nouvelles, des scénarios de BD et des romans pour la jeunesse. Il travaille beaucoup pour la presse jeunesse (Milan, Flammarion, Bayard) et un peu pour la publicité.

Illustrations intérieures
de l'auteur
Mise en couleurs de la couverture :
Christine Couturier

Attention, courrier piégé !

COLLECTION DELIRES

JÉRÔME ÉHO

BAYARD JEUNESSE

AVERTISSEMENT !

Que tu aimes déjà les livres ou que tu les découvres,
si tu as envie de rire, la collection **Délires** est pour toi.

Attention, lecteur !

Tu vas pénétrer dans un monde excitant,
où l'humour et la fantaisie te donnent rendez-vous
pour te faire rigoler et peut-être pleurer…
mais de rire !

Pour Claire et Oliver

1

Gudul, le serveur chef du bar des Amis était occupé à récupérer les cacahuètes encore mangeables dans les cendriers lorsque Monsieur Léon entra dans le troquet.

Sans ciller ni montrer trop d'empressement, le barman glissa derrière le comptoir, se rinça les mains dans l'eau de vaisselle jaunâtre et se tourna vers son client.

– Bonjour, Monsieur Léon, vous êtes bien matinal ! Si j'avais la chance d'être à la retraite comme vous, je passerais mes matinées au lit ou devant la télé ! Quelle idée de se lever si tôt ! Il n'est pas encore sept heures que vous voilà déjà !... Rasé de près qui plus est !

Monsieur Léon jeta un regard noir à Gudul, qui comprit qu'il ne fallait pas insister. Le bonhomme semblait de sale humeur, ce n'était pas la peine de le contrarier...

– Gudul, mon ami, épargnez-moi votre philosophie de comptoir et préparez-moi un petit déjeuner, ronchonna le retraité.

– Vous voulez un café et des croissants ?

Monsieur Léon fusilla le barman du regard :

– Vous le faites exprès ce matin ? Vous savez bien que mon petit déjeuner se compose toujours d'un verre de vin blanc et d'une tartine aux rillettes !

Gudul passa la main dans ses cheveux gras, puis se gratta la narine gauche avec l'index. Toujours avec ses doigts, il entreprit de découper sur la longueur une baguette de pain. Il dut s'y prendre à plusieurs reprises, trancher du pain archi-rassis à main nue n'étant pas une chose aisée. Sans enthousiasme, il prépara le sandwich commandé : il sortit d'un placard poussiéreux un pot de pâté emballé dans un vieux prospectus jauni. Un morceau de carton faisait office de couvercle, celui d'origine ayant disparu depuis fort longtemps.

En trempant son index dans le bocal, Gudul extirpa une substance nauséabonde qui, un jour, avait peut-être été des rillettes.

Avec beaucoup de doigté, il étala les rillettes sur le pain. Il versa ensuite du vin dans un verre ballon qu'il déposa sur un plateau fêlé, avec le journal de la veille et la tartine.

Il secoua sa petite tête de canard en se demandant comment des gens aussi bien mis et respectables pouvaient consommer de pareilles cochonneries au petit déjeuner.

Il présenta le plateau à Monsieur Léon, qui s'était installé sur un tabouret au bout du comptoir.

Le serveur observa son client du coin de l'œil, alors que le bonhomme fixait, lui, son sandwich d'un air soupçonneux. Toutes les mouches du café avaient pris d'assaut la tranche de pain avec avidité. La tartine ressemblait à un porte-avions attaqué par des Mirage !

Gudul soupira et opina du bonnet. Il trouva son client vieilli et amaigri, son teint était gris, et le bonhomme semblait morose. Il faut dire que Monsieur Léon avait récemment fait la une des journaux, à la rubrique des faits divers : le pépère avait été la victime d'un odieux maître chanteur, qui avait pourri sa vie de brave retraité des chemins de fer[1].

Le plus incroyable dans cette histoire, c'était l'identité du maître chanteur : Monsieur Léon s'était fait persécuter par son propre chien. Oui, Oscar, un bâtard couleur chaussettes sales. Un odieux cabot, que le retraité avait recueilli tout jeune, un soir d'hiver.

Ce clebs surdoué et maléfique avait harcelé son maître des semaines durant, à coups de lettres anonymes. Poussé par le vice de la gourmandise, ce chien famélique avait passé des heures devant la télé et avait appris à lire et écrire devant l'émission d'Armand Chameau : *Des lettres et des chiffres* !

Chaque matin, il déposait sur le perron de la maison un courrier, dans lequel il imposait à son maître

---

1. Lire *Chantage au poulet*, Délires n° 236.

de préparer des poulets rôtis et des tartes aux pommes, sans quoi le pauvre homme serait éliminé sur-le-champ.

Ces jours d'une angoisse intense avaient mené le brave retraité au bord de la folie.

C'est grâce à l'intervention musclée de la police, qui avait arrêté le chien ingrat, que Monsieur Léon put échapper à la dépression nerveuse.

Depuis, Oscar, condamné à la prison, était sorti de la vie du retraité… De sa vie, mais pas de son esprit ni de son cœur. Les souvenirs des moments heureux passés en compagnie d'Oscar assaillaient le bonhomme, et son chien, aussi abject fût-il, lui manquait terriblement.

Depuis huit semaines maintenant que le clébard était sous les verrous, Monsieur Léon avait perdu toute joie de vivre. Pourtant, il avait été trahi et ne regrettait pas l'arrestation d'Oscar. Mais, seul dans sa sinistre maison de banlieue, il trouvait les journées interminables.

Monsieur Léon déplia d'une main le journal posé devant lui sur le plateau et le feuilleta négligemment. Que des mauvaises nouvelles, pas de quoi le tirer de sa morosité matinale : augmentation des impôts, nouvelle taxe sur le carburant et, plus ennuyeux encore, augmentation de la redevance télé. « À ce rythme-là, pensa le retraité, regarder les émissions de Pascal Navrant ou Jean-Pierre Faucoup va bientôt devenir un luxe de milliardaire ! »

Le grigou soupira, but une gorgée de vin blanc, fit la grimace et passa à la page des spectacles.

Bien que ne sortant jamais, il se plaisait à passer pour quelqu'un de cultivé et ne manquait pas une occasion de se tenir au courant. Un bref article lui apprit le passage de Pia Ramona, la très grande et très célèbre cantatrice, qui avait donné un concert dans la salle polyvalente de la mairie, ainsi que l'arrivée prochaine d'un cirque.

Le retraité allait s'attaquer aux prévisions météo lorsque son regard fut attiré par un petit texte encadré en bas de page. Il s'agissait d'une petite annonce. Juste quelques mots, qui allaient une nouvelle fois bouleverser sa vie simple et tranquille…

2

L'annonce était rédigée en caractères gras :

Annonce N° 452323
Vous vous sentez seul, moi aussi.
Correspondons, voulez-vous,
et devenons amis.
Si, comme moi, vous aimez le croquet,
les timbres et la bonne chère,
n'hésitez pas,
ÉCRIVEZ-MOI...
À très bientôt sur ces pages.
ÉCRIRE AU JOURNAL, QUI TRANSMETTRA

«Vous vous sentez seul, moi aussi…» Oh! comme Monsieur Léon connaissait ce sentiment, comme il imaginait la détresse de celui ou celle qui avait écrit ces quelques mots…

Il lut et relut l'annonce, fasciné, hypnotisé. Il se sentait irrésistiblement attiré. Il devait correspondre avec cette personne, même s'il ne connaissait rien au croquet ni aux timbres de collection. Une force obscure le poussait : il fallait qu'il réponde à cette petite annonce.

Le retraité reprit le journal à la première page et chercha son prix.

Il manqua de s'étouffer : 0, 46 euros ! Trois francs ! Trois cents anciens francs ! Une somme considérable pour une feuille de chou, qu'il venait déjà de lire ! Il fut ulcéré à l'idée d'avoir à faire une dépense aussi inconsidérée. Pourtant, il désirait plus que tout noter les coordonnées de l'annonce. Il fouilla frénétiquement sa redingote en quête d'un bout de papier, et surtout d'un crayon ; sans succès. Les poches de son pantalon recelaient seulement un vieux bout de fromage, un peigne et une chaussette sale.

Le retraité fut tenté de demander un stylo au serveur du bar des Amis. Mais il se retint, de peur que Gudul ne le prenne pour un horrible radin. Alors que, lui, il se considérait plutôt comme un noble économe. Ce qui n'avait rien à voir !

Monsieur Léon se recroquevilla sur lui-même au-dessus du journal, à la manière d'un élève qui ne veut pas que l'on copie sur lui.

Une main plaquée sur la page de gauche, l'autre sur celle de droite, l'air ultra concentré sur un article, il commença à tirer tout doucement sur le quotidien tout en toussotant pour couvrir le bruit de papier déchiré.

Gudul, qui lui tournait le dos, occupé à laver des verres, ne s'aperçut de rien.

La feuille sur laquelle se trouvait l'annonce commença à se détacher tout doucement.

Le retraité était tout rouge, la langue pendante. De grosses gouttes de transpiration coulaient de son front sur son long nez et gouttaient sur le zinc. Les mouches à rillettes batifolaient dans cette piscine improvisée.

Enfin la page glissa comme par magie tout au bord

du comptoir et atterrit, toujours en silence, sur les genoux du retraité. D'une main experte, il la plia en huit et la glissa promptement dans la poche de son pantalon à côté du peigne et du bout de fromage. Mission accomplie! Quelle satisfaction pour le bonhomme d'avoir pu se procurer l'annonce sans rien avoir à débourser! Pour fêter l'événement, il vida d'un trait son verre de vin blanc et croqua avec appétit dans sa tartine de rillettes. Il avait hâte de rentrer chez lui et de s'installer à son bureau pour entamer la correspondance!

Il termina avidement son sandwich et, sans autres façons replia le journal qu'il remis sur le plateau.

– Vous mettrez mon déjeuner sur ma note, Gudul, lança-t-il, grand seigneur, en sautant de son tabouret.

Le serveur regarda Monsieur Léon sortir et soupira… Le pourboire ne serait pas encore pour ce matin!

Dans la rue, Monsieur Léon fouilla dans sa poche, prit la feuille de journal et, tout en marchant, découpa l'annonce. Inutile de conserver le reste de la page, maculée de rillettes et de vin blanc. Le retraité en fit une boule, et il la jeta négligemment dans le caniveau. Il plaça ensuite le précieux petit bout de papier dans son portefeuille, qu'il remit dans sa redingote, tout contre son cœur.

Enfin ! Enfin il allait pouvoir communiquer avec quelqu'un qui, comme lui se sentait seul !

En chemin, il croisa Grospaquet, son voisin, et il ne le salua pas : à quoi bon lui dire bonjour, si maintenant il allait avoir un ami pour lui tout seul avec qui correspondre !

Habitué aux caprices de Monsieur Léon, Grospaquet ravala son salut, et les deux hommes s'ignorèrent cordialement.

Monsieur Léon ouvrit le portail de sa maison, traversa un jardinet mal entretenu, grimpa les quelques marches du perron et entra chez lui. Il ressortit un instant plus tard avec un petit écriteau comme ceux qu'on trouve dans les hôtels. Il l'attacha à la poignée de la porte. Sur le carton était écrit : « Ne pas déranger, j'ai du boulot. »

Certain désormais d'être tranquille, le bonhomme claqua sa porte, la boucla à triple tour et monta dans son bureau.

Les touches de la machine à écrire allaient chauffer !

3

Monsieur Léon tira le feuillet de sa machine à écrire et le leva devant ses yeux. Avec émotion, il relut ce qu'il venait de taper :

Cher monsieur (?) de l'Annonce N° 452323
Votre appel dans le journal m'a
particulièrement touché. C'est pourquoi je
m'empresse de prendre ma plume pour vous
écrire ces quelques lignes...
Si je peux, grâce à mes lettres, rompre
votre solitude, j'en serai comblé !
Moi-même affreusement seul, je tente de
poursuivre une vie normale, après la
trahison d'un ami très cher...

```
Entreprendre cette correspondance avec vous
me serait donc fort sympathique.
J'attends de vos nouvelles !
Celui qui deviendra, je l'espère, votre
nouvel ami...
PS : Je ne connais rien au croquet ni à la
philatélie, mais on me dit bon cuisinier.
```

« Quelle syntaxe, quel style ! » pensa Monsieur Léon en plaquant la feuille contre son cœur. Il prit une posture noble (genre Napoléon Ier) et se regarda fièrement dans la glace.

Avec délicatesse, il plia la lettre en quatre et sortit d'un tiroir une vieille enveloppe jaunie. Il glissa le courrier à l'intérieur avec une émotion grandissante. Le dernier message qu'il avait envoyé par la poste datait de dix ans : c'était une lettre d'insultes qu'il avait adressée à son ancien patron une semaine après avoir pris sa retraite. Jamais, depuis, il n'avait reçu ou envoyé de courrier (exceptées les lettres de l'infâme Oscar).

En passant sa langue râpeuse sur la bande collante de l'enveloppe, Monsieur Léon ne put

s'empêcher de penser à son chien, qui croupissait dans une cellule de la prison centrale. Comme il devait se sentir seul, lui aussi, et regretter leurs doux après-midi à regarder l'inspecteur Dirick à la télé, et leurs chasses aux rats nocturnes dans le quartier !

Le ding-dong de la pendule du salon ramena Monsieur Léon à la réalité. Seize heures trente ! Le retraité avait passé la journée à taper sa lettre ! Il s'était tellement concentré qu'il en avait oublié de déjeuner (de toute façon, la tartine du matin lui était restée sur l'estomac, et il se sentait un tantinet barbouillé).

En se frayant un passage entre les innombrables brouillons jetés en boule sur le sol, il sortit du bureau, un stylo et sa précieuse lettre en main.

Il devait se dépêcher, les employés du bureau de poste n'étaient pas des couche-tard.

Dehors, un ciel menaçant annonçait la pluie. Une raison supplémentaire pour le retraité de forcer le pas. En traversant le parc floral, passage obligé pour rejoindre le centre-ville, Monsieur Léon prit tout de même le temps d'invectiver les enfants de la boulangère, qui jouaient tranquillement à enfouir de vieux chewing-gums dans le bac à sable.

Monsieur Léon n'aimait pas les enfants en général et ceux de la boulangère en particulier. Selon lui, les gosses Lamiche étaient de vraies graines de voyou.

Soucieux d'arriver avant la fermeture de la poste, le retraité reprit sa route en bombant le torse, fier d'avoir aidé à faire régner l'ordre et le calme dans la commune.

Lorsqu'il entra dans le vénérable établissement postal, il fut accueilli par Mlle Larombière, la préposée aux petits paquets. Elle jeta un regard noir à celui qui osait venir apporter du courrier à peine trois quarts d'heure avant la fermeture (passé trois heures de l'après-midi, Mlle Larombière n'aimait, en fait, personne !).

La petite bonne femme grimpa à l'aide d'un escabeau sur la chaise de son guichet. Perchée sur une demi-douzaine de bottins, la préposée arrivait à peine au niveau de l'hygiaphone, et se sentait obligée de hurler pour être entendue derrière la glace.

Cette difficile ascension effectuée, elle chaussa ses grosses lunettes et cria : «C'est pour quoi?»

Amplifiée par l'hygiaphone, sa voix insoutenable fit trembler les carreaux. Pensant certainement que les employés des postes avaient de l'humour, Monsieur Léon répondit qu'il souhaitait un café et deux croissants.

Peu prompte à la rigolade, surtout en fin d'après-midi, la mère Larombière précisa que l'établissement où elle travaillait depuis bientôt trente ans était une poste, et pas un débit de boissons, et qu'elle n'avait pas l'intention de se faire embêter par un humoriste à la noix, et que sinon elle en référerait à son chef de service, et que, alors là, ça allait barder!

Déçu de ne pouvoir plaisanter avec une aussi charmante dame de lettres, et tout en se bouchant les oreilles d'une main (exercice difficile), le retraité tendit son enveloppe.

La postière la soupesa et annonça : «Trente grammes. Vous devez acheter un timbre à 0,46 euros, soit trois francs, ou encore trois cents anciens francs.»

Monsieur Léon devint livide : trois cents anciens

francs ! Le prix d'un journal de vingt pages pour une toute petite lettre de rien du tout ! Diable, comme la vie avait augmenté !

Il aurait bien poussé jusqu'à investir un franc… mais trois ! Une taxe pareille pour un bout de papier, c'était proprement scandaleux !

– Euh, je vais réfléchir, ronchonna le grigou en glissant ses doigts dans la fente du guichet pour arracher la lettre des mains de la postière.

– Réfléchissez vite alors, le courrier part dans trente-quatre minutes, pas une de plus ! houspilla la préposée. Le camion ne vous attendra pas !

Ça, elle en était sûre, car elle vivait en concubinage avec le postier qui conduisait le fourgon, et elle exigeait qu'il ait fini son service à l'heure, histoire qu'il rentre vite à la maison préparer le dîner et faire faire pipi au chien.

Dépité, Monsieur Léon sortit de la poste avec son enveloppe. S'il n'avait pas cédé au chantage d'Oscar, ce n'était pas pour se plier à l'odieux racket des PTT !

Il avait une demi-heure pour trouver une combine et envoyer son courrier à moindres frais…

4

Monsieur Léon retourna au parc floral et s'assit sur un banc pour réfléchir… Il croisa et décroisa les jambes, signe d'une grande nervosité.

Si sa correspondance avec son nouvel ami s'engageait bien, le retraité serait obligé d'envoyer une lettre par jour, soit 365 timbres par an, soit 3 500 pour dix ans, sans compter les années bissextiles! Une somme colossale! Une ruine inévitable!

Le bonhomme regarda la poubelle plantée à coté du banc et soupira. Sa main tremblait. Devait-il se montrer raisonnable et renoncer à ce nouvel ami, tombé du journal? Ou, au contraire, entamer ses belles, ses douces, ses nobles économies et, au besoin, se priver sur autre chose (sur quoi, d'abord, puisqu'il se privait déjà de tout?). Il devait bien exister une solution pour éviter de payer ce fichu timbre…

Un petit vent fit grincer le couvercle de la poubelle, qui se souleva gentiment. Monsieur Léon vit en lui comme un appel, un signe du destin. Il se leva et l'ouvrit complètement.

Quelques mouches échappées du bar des Amis sortirent du sac en plastique, au fond duquel gisaient de vieilles canettes, de vieux sandwiches, quelques mouchoirs sales et une couche de bébé usagée.

Du bout des doigts, le retraité fouilla la poubelle en quête d'on ne sait quoi… Un sourire éclaira son vieux visage fané : elle était là !

Elle, c'était une enveloppe tachée, qu'il avait vu jetée la veille par un passant.

Il avait enregistré la scène, et la chance le servait aujourd'hui. Il la sortit de la corbeille en jubilant.

En haut à droite de l'enveloppe était collé un timbre. Oblitéré, tamponné, d'accord, mais un timbre tout de même !

Délicatement, Monsieur Léon le décolla de son support. L'opération se révéla délicate, mais le vieux roublard s'en tira haut la main, habitué qu'il était à décoller les pâtes trop cuites au fond des casseroles, afin de ne rien perdre !

Abandonnant l'enveloppe devenue inutile sur le banc, il se dirigea vers le bassin aux canards. En le voyant arriver à vive allure, les fils de la boulangère abandonnèrent un volatile à moitié plumé et déguerpirent dans un nuage de poussière et de duvet.

Le retraité se retrouva au bord de l'eau en compagnie des cols-verts méfiants (une rumeur courait dans le monde canard que le père Léon serait un kidnappeur et un mangeur de coin-coin patenté).

Un coup d'œil à droite et un coup d'œil à gauche apprirent au vieux filou que le gardien du parc n'était pas dans les parages. Étant donné sa mauvaise réputation, notre bonhomme risquait d'être pris en plus pour un gobeur de poissons rouges ! Il regretta l'absence d'Oscar, qui habituellement faisait le guet lorsqu'il s'activait sur un mauvais coup…

En posant un genou à terre, le retraité trempa délicatement le timbre dans le bassin et se mit à enlever toute trace de tampons. Tâche ardue, compliquée par la nécessité de ne pas effacer le motif imprimé !

Monsieur Léon se promit de mettre un bout de savonnette dans sa poche pour une prochaine fois.

Le petit rectangle de papier était presque propre et utilisable lorsque retentit un «hum, hum» formidable dans son dos.

Saisi, il se cabra comme un écolier surpris en train de copier et tomba en arrière. Dans sa chute, il lâcha le timbre qui se mit à dériver dans l'eau.

Habitués à ce que des visiteurs leur jettent du pain, les canards se précipitèrent sur le petit rectangle de papier, et le plus rapide l'avala d'un coup de bec.

Les quatre fers en l'air, Monsieur Léon vit avec effroi disparaître son précieux trésor, et avec lui son ultime chance d'envoyer son courrier à l'œil.

Furieux, il se retourna pour voir qui l'avait dérangé, anéantissant ainsi son projet.

Un sourcil levé, l'autre tout contre l'œil, une main sur le bidon, la seconde dans le dos, le père Grospaquet regardait son voisin, goguenard…

– Alors, Léon, ricana-t-il, on fait sa petite lessive, ou on cherche des asticots pour le dîner?

Monsieur Léon se releva en serrant les dents, prêt à se jeter sur son gros ballot de voisin. Les poings fermés, une jambe en avant, le retraité se mit en garde, tel un boxeur.

Il allait passer à l'attaque lorsqu'il remarqua un objet insolite dans la main de Grospaquet.

Transformant sa position de combat en position de «je me brosse pour chasser la poussière», il esquissa un sourire convenu. Et, sans répondre à la question de son voisin, il demanda:

– Et vous, mon ami estimé, mon voisin préféré, où marchez-vous donc de ce pas guilleret?

Il connaissait déjà la réponse.

Grospaquet montra la chose qu'il tenait dans ses doigts boudinés: une enveloppe timbrée.

– Je me presse de poster ce courrier pour les impôts. Il doit partir avant minuit, le cachet de la poste faisant foi. Sinon, je suis bon pour une visite des huissiers!

Une très vilaine pensée traversa le petit cerveau de Monsieur Léon:

– Je me rendais moi-même à la poste lorsque j'ai vu ce pauvre canard entre les pattes des gosses de la boulangère, dit-il en désignant le volatile déplumé.

– Si c'est pas malheureux! s'emporta Grospaquet. Que fait donc la police? De mon temps, je veux dire, lorsque j'étais commissaire, ces graines de voyou, on les envoyait au bagne! Allez, hop! Zou, en prison!

Il versa une larme à l'évocation de cette époque révolue et se mit au garde-à-vous.

Monsieur Léon le ramena à la réalité. Faussement intéressé, il demanda d'une voix mielleuse :

– Cher Grospaquet, mon vénérable ami, votre jambe vous fait toujours souffrir, depuis votre chute de l'arbre?[1] Eh bien, je vais moi aussi à la poste ; laissez-moi vous épargner quelques souffrances, confiez-moi votre courrier!

Monsieur Léon montrait un visage si engageant que Grospaquet ne put qu'accepter. Il remercia son voisin et lui remit sa précieuse lettre.

Avec un geste d'adieu, l'ancien commissaire fit

---

1. Lire *Chantage au poulet*, Délires n° 236.

demi-tour et rentra chez lui pour s'occuper de son jardin, et spécialement de son baobab.

Dès qu'il eut tourné le coin du chemin, le sourire enjôleur de Monsieur Léon se transforma en un rictus maléfique. En ricanant méchamment, il retourna au pas de course à la poste.

Arrivé devant la boîte aux lettres Monsieur Léon décolla sans trop de difficulté le timbre de la lettre de Grospaquet.

Le recoller sur la sienne fut plus difficile, l'adhésif du timbre étant fichu. Le vieux grigou scruta le trottoir pour y trouver un vieux chewing-gum. Il n'eut que l'embarras du choix et se décida pour un magnifique chlorophylle fraîchement mâchouillé. Il le ramassa, l'humidifia et en détacha un petit bout qu'il plaça derrière le timbre. Avec le pouce, il le plaqua contre l'enveloppe et appuya fortement.

Ouf! Sa lettre était timbrée, prête à partir.

Sans scrupule, il glissa l'enveloppe dans la boîte, à l'instant même où le préposé, de l'autre côté du mur, récupérait le courrier. La lettre de Grospaquet elle, tomba malencontreusement dans le caniveau et disparut en tourbillonnant dans la bouche d'égout…

Monsieur Léon attendit que le fourgon postal parte pour reprendre le chemin de sa bicoque. Avec émotion, il le regarda disparaître au virage. À son bord se trouvait la lettre destinée à son mystérieux ami…

5

C'est un Monsieur Léon bien guilleret qui entra au bar des Amis deux jours plus tard. Il gratifia d'un «bonjour» sonore l'assemblée, qui se résumait ce matin encore à la seule personne de Gudul, puis prit place sur le tabouret bancal du comptoir. Le serveur qui s'adonnait au sauvetage d'une mouche collée au fond d'un vieux plat de lasagnes, abandonna sa tâche pour se glisser derrière le zinc et prendre sa commande.

– Une tartine de rillettes et un verre de vin blanc, comme hier ?, demanda-t-il sombrement.

Monsieur Léon se caressa le bidon et grimaça :

– Nenni, mon garçon, mon estomac me fait des misères, ce matin ! Donnez-moi quelque chose de plus léger. Tiens, du pâté de tête sur du pain de mie et un verre de rosé, s'il vous plaît !

En prenant l'air dégagé, le retraité scruta le café en quête de ce qu'il était réellement venu chercher : le journal du matin. Il le découvrit posé sur une table, près de la devanture. Sans quitter son tabouret, il tendit le bras en se penchant périlleusement et attrapa le quotidien.

La première page annonçait sur cinq colonnes une formidable baisse des impôts de 0,00003 % sur quatre ans, mais le retraité n'y fit pas attention.

Une seule chose lui importait : la page des petites annonces.

Gudul posa sur le comptoir une assiette ébréchée. En son centre trônait un carré de pain gris déchiqueté. Les différents morceaux tenaient ensemble grâce au pâté grossièrement étalé.

– C'est difficile de couper du pain de mie avec les doigts, s'excusa le serveur en s'essuyant négligemment sa main pleine de pâté dans sa tignasse. Je ne sais pas ce que j'ai fait de mon couteau. La dernière fois que je m'en suis servi, c'était pour réparer la chasse d'eau et depuis, fuiiit! disparu de la circulation!

Monsieur Léon n'écoutait plus, tant il était impatient de trouver la page convoitée. Il ne vit pas non plus le regard suspicieux que lui portait le serveur.

Enfin, après être passé sur une demi-douzaine de feuilles sans intérêt, le regard de Monsieur Léon s'éclaira.

Elle était là, étalée en grosses lettres noires et baveuses au centre de la page quinze :

Annonce N° 452323-2

MON CHER NOUVEL AMI
Je passe à nouveau par les petites annonces,
pour répondre à votre charmante lettre.
Pardonnez ma méfiance :
si je ne vous donne pas tout de suite
mon adresse,
c'est que, moi aussi,
j'ai été récemment trahi par un ami...
Parlez-moi de vous,

de vos passe-temps,
Avez-vous un métier ?
Qu'aimez-vous cuisiner ?
Grâce à votre courrier,
je me sens déjà moins seul.
À très bientôt,
CHER NOUVEL AMI,
ÉCRIVEZ-MOI...

Écrire au journal, qui transmettra.

Une vague de bonheur envahit le retraité. Son correspondant lui avait répondu ! En plus, il s'intéressait à lui et posait plein de questions sur sa vie ! C'est à peine si le bonhomme toucha à son pain de mie, tant il était excité. Il regarda de nouveau l'annonce et la trouva si belle qu'il décida de la faire encadrer. Mais, pour cela, il fallait acheter le journal, ou une nouvelle fois, arracher la page !
À cet instant, Gudul pesta : il n'y avait plus de café en boutique et il fallait en chercher à la cave. Il s'excusa d'abandonner son client et sortit par une petite porte dérobée.

L'occasion était trop belle ! Monsieur Léon tira violemment sur la page convoitée, qui se détacha sans aucune résistance.

Le bruit du papier fut couvert par le grincement de la porte de la cave. Monsieur Léon vit débouler sur lui un Gudul écumant de colère :

– Raaaaaah ! J'en étais sûr ! hurla le barman. C'est bien vous le bougre de cochon qui, avant-hier, a arraché la page des pronostics sportifs !

Le retraité se lança dans des excuses embrouillées, mais le serveur le coupa sans façon.

– Vous savez combien de clients viennent spécialement dans mon établissement pour consulter les paris hippiques ? Vous imaginez le préjudice que vous avez causé à mon fonds de commerce ? Je suis certain d'avoir perdu quatre de mes plus fidèles clients à cause de votre sabotage !

Monsieur Léon glissa de son tabouret et tenta de s'esquiver discrètement ; mais le serveur, hors de lui, l'agrippa par les épaules et se mit à le secouer comme un prunier.

– Vous l'avez vue, vous, la tête de monsieur le maire, lorsqu'il est passé de la page 14 à la page 17 ?

Moi, je l'ai vue, j'ai vu aussi ses yeux accusateurs qui me disaient à moi, Gudul : tsss, mon noble ami, comme vous m'avez trahi !

Malmené par le serveur en furie, le malheureux fraudeur allait s'écraser tantôt dans les chaises tantôt contre le comptoir.

– Tout ça parce que vous êtes un ignoble radin ! Vous voulez une info, alors, hop ! vous arrachez la page, au mépris de autres consommateurs ! J'ai bien compris votre manège ! Comme je suis persuadé que vous n'avez pas l'intention de payer votre note ! J'ai fermé les yeux depuis un mois, eu égard aux soucis que vous avez eu avec votre chien ! Mais ça suffit maintenant ! Vous ne quitterez pas mon café sans avoir réglé ce que vous me devez ! Et je parle autant de votre note que du préjudice moral.

Le barman écumait :

– Vous mériteriez de rejoindre votre sale clebs en prison ! Vous ne valez pas mieux que lui ! Escroc ! Bandit ! Rapiat ! Mangeur de rillettes ! Voleur !

Ayant épuisé son répertoire d'invectives, Gudul lâcha enfin le retraité, qui continua de tanguer un

moment avant de s'écrouler, les bras en croix, sur le lino crasseux. À la vue du corps étendu, inerte, sur le sol, le barman devint livide. Ses yeux s'écarquillèrent puis se mirent à papilloter nerveusement. Il porta ses mains crasseuses au visage et resta sans bouger.

Ensuite, comme un zombie, le serveur sortit du café, fit quelques pas le long du trottoir et, soudain, se mit à gesticuler et à courir droit devant lui en hurlant :

– Je l'ai tué, j'ai tué Monsieur Léon !

Il disparut quelque part derrière l'église en agitant les bras comme un forcené.

Dans le bar des Amis, Monsieur Léon, toujours étendu les bras en croix, ouvrit un œil, puis deux. Il fixa longuement le plafond sans oser bouger. Le serveur fou semblait parti… Que s'était il passé exactement ? Le retraité se remit péniblement à la verticale et rassembla ses souvenirs : le trou noir, juste avant, la sensation d'être projeté de tous les côtés… Gudul en rage… le vol de la petite annonce… LA PETITE ANNONCE !

Sans demander son reste, le père Léon empoigna

la page du journal d'une main sûre. De l'autre, il ouvrit la porte du bar des Amis et partit aussi rapidement qu'il put, craignant que Gudul ne revienne avec des renforts.

Une fois entré dans le parc floral, le vieux filou ralentit un peu le pas. Le jardin était son territoire. Il y avait assez longtemps joué à cache-cache avec Oscar pour en connaître les recoins les plus secrets. En cas d'alerte, il se faisait fort de disparaître dans un bosquet.

Au sortir du parc, c'est un Monsieur Léon serein et parfaitement détendu qui apparut. Il avait de quoi être satisfait : non seulement il était en possession de l'annonce sans avoir déboursé un sou, et en plus, il avait la certitude de ne JAMAIS payer sa note au bar des Amis ! Il risquait même, dans quelque temps, de pouvoir aller y manger et boire gratis… Quel dommage, en effet si le commissaire Pafuté apprenait par le biais d'une lettre anonyme que le serveur chef avait failli commettre un homicide ! Gudul n'avait plus qu'à se tenir à carreau s'il désirait garder son bar ouvert…

Dans sa rue, Monsieur Léon s'arrêta pour saluer la douce Mlle Grasdumous, sa voisine. La demoiselle, assise sur les marches de son perron en compagnie de son chat Mororat reprisait ses bas de laine noirs en louchant péniblement sur son aiguille.

Monsieur Léon la regarda avec tendresse. Mlle Grasdumous était son grand amour secret. Mais il n'a jamais osé lui avouer sa passion. S'il en avait eu le courage, il ne se serait pas engagé dans sa correspondance avec son «nouvel ami» en prenant autant de risques.

La vieille fille habitait déjà rue Floriant lorsque le retraité et son chien étaient venus s'installer, dix ans plus tôt. C'est en venant visiter, en compagnie de l'agent immobilier, la bicoque d'en face que Monsieur Léon l'avait vue pour la première fois. Il avait signé l'achat de la maison sans rien vérifier, ni même négocier le prix! Il était tombé sous le charme immédiatement, tant elle était belle, avec son chignon en bataille, ses délicates verrues sous le nez. Si désirable avec son corps menu menu, posé sur deux longues jambes arquées. Elle représentait pour lui la femme idéale.

Ce jour-là, l'amour était entré dans la vieille carcasse noueuse de Monsieur Léon…

Toutefois, une terrible timidité avait empêché jusqu'alors notre joli cœur de se livrer, et il se contentait d'admirer sa déesse, caché derrière ses volets de cuisine. Chaque matin, il se promettait qu'il irait déclarer sa flamme ; et chaque soir, honteux de tant de lâcheté, il remettait l'heure des aveux au lendemain.

De son côté, Mlle Grasdumous semblait apprécier Monsieur Léon, surtout depuis qu'il s'était débarrassé de son satané chien et venait lui emprunter du sel au moins une fois par an !

Le cœur léger, le retraité traversa la route sans cesser de regarder sa dulcinée et manqua de se faire écraser par le père Grospaquet, qui partait en trombe sur sa moto.

C'est en sautillant et en chantonnant que Monsieur Léon entra dans sa petite baraque et monta s'enfermer dans son bureau. Il se sentait tout ragaillardi et fin prêt à concocter une nouvelle lettre à son cher nouvel ami…

6

Cher (chère) N° 452323-2

Je comprends tout à fait votre réticence à
vous dévoiler si rapidement, à celui qui
n'est encore pour vous qu'un inconnu.

Vous souhaitiez savoir ce que j'aime
cuisiner. Il paraît que mes tartes aux
pommes sont excellentes et que je réussis
pas mal le poulet grillé.

J'aime faire la cuisine et mitonner de bons
petits plats, même si, il faut l'avouer, je
ne déteste pas aller dîner de temps à autre
au restaurant.

Vous-même, cher ami (chère amie?) aimez-
vous sortir en ville ou manger au
restaurant?
À bientôt,
Votre nouvel ami.

Monsieur Léon arracha dans un terrible grincement la feuille coincée dans sa vieille machine à
écrire rouillée et relut avec satisfaction les quelques
mots qu'il venait de taper. Il consulta sa montre et
sourit de tout son dentier : onze heures cinquante-
cinq. Écrire cette œuvre aussi bien ciselée que la
précédente lui avait pris deux fois moins de temps.
– Je deviens meilleur de jour en jour, pensa-t-il,
rayonnant de fierté. Aaaah, si Oscar pouvait être
là pour voir comment on rédige un vrai courrier !
Pas un torchon composé de lettres collées !
Le retraité fouilla son bureau en quête d'une enveloppe. N'en trouvant pas, il plia la lettre en quatre
et en scotcha les coins. Il griffonna ensuite sur
l'une des faces l'adresse du journal et les références
de l'annonce.
– Je la posterai après le déjeuner. Pour l'heure, j'ai

trop faim! ronchonna-t-il en glissant le courrier dans la poche de son pantalon.

Il sortit de son bureau et descendit les escaliers. À pas menus, il entra dans la cuisine et se dirigea vers le réfrigérateur.

Le vieux frigo râla tristement en s'ouvrant, et il dévoila un spectacle navrant: il était vide de tout aliment comestible et ne recelait qu'une vieille boîte de Toutoumou banane-poisson moisi, ouverte pour Oscar depuis plus de huit semaines.

Le vieux bonhomme le referma vivement: l'odeur de la pâtée était insoutenable.

Avec toutes ces péripéties, il avait oublié de faire son marché et se retrouvait à court de provisions.

Monsieur Léon regarda la pendule. Midi! Impossible d'arriver au Maxiprizu avant la fermeture! Et, évidemment, hors de question d'aller se ravitailler à l'épicerie Tousskitiveux. Certes, la boutique était ouverte vingt-quatre heures sur vingt-quatre, et disposait de tous les articles de consommation courante (jambon, papier toilette, quiches et boîtes de Toutoumou), mais elle était aussi réputée pour sa pratique éhontée de prix exorbitants. Monsieur

Léon avait eu l'occasion de constater, pour un même article, des différences allant jusqu'à vingt centimes entre l'épicerie et le Maxiprizu !

Il repensa alors à ce qu'il avait tapé dans sa lettre : *je ne déteste pas aller dîner de temps à autre au restaurant*. Là, il s'était un peu avancé… Il avait écrit ça pour faire bien. Sa dernière visite dans un restaurant avait eu lieu dix ans plus tôt. Il s'agissait d'un établissement tenu par la Compagnie de chemins de fer, où Monsieur Léon avait été convoqué par la direction. Pour remplacer un cuisinier malade…

Depuis, son souci d'économie lui avait fait fuir ces lieux où les chiens sont rarement acceptés, excuse rêvée pour le vieux radin.

Cela dit, si un vrai climat de confiance et une réelle amitié s'installaient entre lui et son correspondant, et s'ils étaient amenés à se rencontrer, ils iraient certainement fêter l'événement au restaurant ! Et là, Monsieur Léon le savait bien, pas moyen de se défiler et faire payer la note à son nouvel ami, qui ne manquerait pas de le prendre pour un pingre !

Le brave homme resserra d'un cran la ceinture de son pantalon pour calmer les exigences de son estomac vide. Toutefois, la faim le tiraillant toujours, il n'arrivait plus à réfléchir.

– Si je ne mange pas tout de suite quelque chose, je vais faire un malaise! gémit-il en s'appuyant, presque étourdi, contre la table de cuisine.

Un instant, il considéra le réfrigérateur, imaginant la boîte de Toutoumou qu'il recelait. Un Monsieur Léon affamé est, il faut le savoir, un Monsieur Léon prêt à tout… Même à manger une boîte de pâtée pour chien avariée.

Le crissement des pneus de la moto du père Grospaquet sauva le retraité d'une mort certaine. Il jeta un coup d'œil par la fenêtre et vit son voisin ranger son véhicule dans le garage.

L'ex-commissaire rentrait pour déjeuner… Et son frigo à lui était sûrement plein! Il avait sans doute de quoi se mitonner de bons petits plats. Et, même s'il n'avait pas fait de courses, sa retraite lui permettait d'aller manger au restaurant!

Monsieur Léon, qui avait toutes les peines du monde à survivre avec sa maigre retraite des chemins de fer – dans ces moments, il oubliait curieusement sa cassette pleine de louis d'or, enterrée au fond du jardin – soupira à fendre l'âme. Le monde était bien injuste !

Soudain, un éclair mauvais traversa le regard du bonhomme. Une très vilaine pensée venait de passer dans son cerveau machiavélique… Ce cochon de Grospaquet allait payer pour l'avoir nargué ainsi !

Prestement, Monsieur Léon quitta sa cuisine. Tout en enfilant sa gabardine, il sauta dans ses chaussures et sortit de chez lui, direction le centre-ville.

Le parc floral, passage obligé, était désert en cette heure de déjeuner. La boutique de Collamouche était fermée, le bar des Amis avait le rideau baissé. Deux écriteaux étaient collés sur sa grille de fer. Sur le premier on pouvait lire : *Fermé pour cause de maladie nerveuse*. Le second annonçait : *Recherche serveur motivé*.

De rares passants se pressaient de rentrer chez eux pour déjeuner. Personne ne prêta attention à ce Monsieur Léon supposé décédé depuis le début de la matinée.

Monsieur Léon dépassa d'un pas rapide l'endroit

où il faillit, le matin même, perdre la vie. Il ralentit à quelques mètres de Chez la mère Lulu, le seul restaurant du centre-ville.

Notre retraité n'y avait encore jamais mis les pieds, mais il connaissait l'établissement de réputation : une cuisine familiale raffinée et originale, pour un prix certes conséquent mais honnête.

Monsieur Léon ferma sa chemise jusqu'au dernier bouton, sortit une cravate froissée de la poche de son pardessus et se la noua autour du cou. En humectant ses doigts, il plaqua soigneusement son ultime mèche de cheveux sur son crâne. Se regardant dans la vitrine du restaurant, il se trouva beau et respectable.

Il inspira une grande bouffée d'air frais et poussa la porte.

Un serveur en smoking vint au-devant de lui et le débarrassa de sa gabardine. Monsieur Léon hésita un instant à abandonner son manteau, puis céda devant l'insistance polie mais ferme du garçon.

– Je désire voir le directeur de l'établissement, demanda le retraité avec aplomb.

– Je suis là, retentit une voix dans la salle du restaurant. En quoi puis-je vous être utile, cher monsieur ?

Un petit bonhomme rondouillard, mais bien mis, apparut sur le seuil. Avec un sourire commercial, il tendit la main au retraité.

Monsieur Léon la serra vigoureusement et se lança dans un discours d'une rare courtoisie :

– Voilà, cher monsieur. Je désire venir manger dans votre très réputé restaurant chaque midi et chaque soir. Je souhaite devenir votre plus fidèle client, tant on m'a vanté la qualité de votre cuisine.

– Je suis très flatté que vous ayez choisi mon établissement, dit le directeur, ne se sentant plus de joie, et je serai très heureux d'accueillir un gourmet comme vous dans mes murs…

Monsieur Léon se cambra encore un peu plus et déclara :

– Il y a cependant une condition ! Je n'ai pas l'intention de vous faire un chèque à chaque repas, on ne s'en sortirait pas ! Je me proposais donc d'ouvrir un compte chez vous, que je réglerais, hum… disons à la fin de chaque mois…

Ravi de tenir un si bon client, le directeur de Chez

la mère Lulu acquiesça en se tournant vers le serveur :

– Règlement à la fin de mois, c'est parfait ! Hector, mon garçon, ouvrez donc un compte à notre nouveau client, à ce cher monsieur… Monsieur comment, déjà ?

Avec un aplomb formidable, Monsieur Léon prit un menu sur un guéridon et s'installa à une table pour quatre personnes. Il mit une serviette autour de son cou, replaça une cuillère qu'il jugeait mal disposée et répondit enfin au serveur :

– Mon nom… est Grospaquet, Archibald Grospaquet !

7

Monsieur Léon mangea avec appétit.

Ce midi-là, il prit deux entrées, un plateau de fruits de mer et trois desserts : un bavarois banane-chocolat, une mousse à la vanille et une part de tarte aux olives.

Lorsque, repu et bienheureux, il quitta la table d'un pas lourd, Hector lui fit signer sa note et lui remit sa gabardine.

Le directeur vint en personne lui ouvrir la porte et souhaiter une bonne après-midi à son *« cher nouveau client »*.

Monsieur Léon, royal, leur donna rendez-vous pour

le dîner. Avant de partir, il n'oublia pas de se faire «dépanner» d'un timbre, à mettre sur sa note. Le directeur courut lui en chercher un de collection dans son bureau. Le filou l'empocha prestement et partit d'un pas rapide.

Arrivé dans le parc floral, le vieux Léon s'assit sur un banc et laissa éclater un rire démoniaque. Quel génie malfaisant il était, et quelle sale blague il jouait à ce cochon de Grospaquet!

Son autosatisfaction et une digestion difficile l'assommèrent d'un coup. Le grigou s'allongea sur le banc et ne tarda pas à s'endormir : rien de tel qu'une bonne sieste après un copieux repas! Ses rêves furent pleins de bavarois, de Grospaquet ruiné, de Mlle Grasdumous resplendissante de verrues et d'Oscar à son époque brave toutou à son pépère. Comme sa vie de retraité était douce et agréable!

La cloche de seize heures retentit dans le beffroi. Quatre coups qui réveillèrent brutalement Monsieur Léon. Il se remit d'aplomb, se gratta le crâne, s'étira en faisant craquer ses articulations et se leva. En prenant le mouchoir dans la poche de son pantalon, le bonhomme retrouva la lettre destinée à son cher nouvel ami. Il colla le timbre de collection sur son courrier et prit la direction de la poste.

Sur la place, devant l'agence des PTT, des caravanes et des camions venaient de s'installer. Monsieur Léon put lire sur leurs flancs : CIRQUE ZAPETATA, le plus grand cirque du monde. Il pensa que cela pourrait être une bonne idée, d'aller voir ce spectacle avec son nouvel ami. Il se dit aussi qu'il ferait bien de boucler ses volets en sortant de chez lui : des saltimbanques dans la ville, mieux valait se méfier.
Il croisa un éléphant qui descendait d'un camion, et le salua d'un vigoureux : « Bonsoir, mon brave Grospaquet ! »
Mlle Larombière regarda son client d'un sale œil. Elle replia son journal de mots fléchés et le rangea dans un tiroir en soupirant profondément : encore ce vieux grincheux ! Il n'avait jamais mis les pieds à la poste pendant dix ans, et voilà qu'il débarquait pour la deuxième fois en moins d'une semaine !
– Regardez, mademoiselle, j'ai un beau timbre de

collection sur ma lettre, lança joyeusement le retraité en narguant la préposée aux petits paquets.

– Et alors, que voulez-vous que ça me fasse ? ricana la dame des postes en ouvrant un classeur pleins de jolis timbres colorés. J'en ai des kilos et des kilos, moi, des timbres de collection ! Si vous croyez m'impressionner !

Monsieur Léon lui remit son courrier et lui demanda de le tamponner. La fonctionnaire s'exécuta de mauvaise grâce et balança la lettre dans la bannette des départs.

Ravi d'avoir posté son pli, le retraité quitta le bureau d'un pas alerte et prit le chemin de la droguerie Collamouche.

Le propriétaire de la droguerie prenait l'air devant sa boutique. Il ne reconnut pas tout de suite son meilleur client et plus vieux complice, en raison de sa vue défectueuse : borgne, Collamouche était horriblement myope de son seul œil valide.

Lorsque Monsieur Léon fut tout près de lui, le droguiste leva ses mains au ciel et s'exclama avec un réel bonheur :

– Mon bon Léon, vous n'êtes pas mort ! Quelle jubilation de vous voir, compère !

Il donna l'accolade au retraité et l'entraîna dans son échoppe. Là, il sortit une bouteille d'alcool fort ainsi que deux gobelets en carton et pria son vieil ami de lui conter ses derniers forfaits.

De bonne grâce, Monsieur Léon lui parla de son nouveau correspondant, de la tentative d'assassinat perpétuée par Gudul et de ses mauvais tours joués à Grospaquet.

Collamouche ricana comme un bossu – qu'il était d'ailleurs – et but cul sec son alcool. Monsieur Léon fit de même, et il s'étrangla tant le breuvage était corsé.

Collamouche versa un second godet à son complice, qui accepta poliment pour ne pas le vexer. Monsieur Léon fit mine de le boire, à petites gorgées cette fois, et l'abandonna sur un rayon. Ensuite, il donna les raisons de sa visite :

– Mon bon Collamouche, je suis venu chez vous en espérant trouver quelques conseils ainsi qu'une bonne colle pour réparer mon dentier. Il est presque neuf, je l'ai acheté cinq ans à peine avant

mon départ en retraite ! Je ne tiens pas à en racheter un nouveau de sitôt. Quelques points de colle pour fixer les dents qui ont lâché feront bien l'affaire. Quant aux conseils, il s'agit de mon contentieux avec Gudul. Ce cochon ne va pas s'en sortir à si bon compte, avec juste une petite dépression nerveuse ! J'ai l'intention de me venger ! Il a tout de même tenté de m'assassiner !

Collamouche esquissa un sourire mauvais. Comme il aimait que son vieux compère lui demande conseil, et comme cela était bon de manigancer de mauvais coups !

– Léon, mon ami, vous avez frappé à la bonne porte. Je vais vous mitonner une vengeance de premier choix. En attendant, venez donc dans l'arrière-boutique, on va s'occuper de votre dentier…

8

Le plus dur, lorsqu'on répare un dentier et que l'on n'est pas spécialiste, c'est de replacer les dents tombées au bon endroit, surtout lorsqu'il en manque ! Ce petit exercice nécessite beaucoup de patience, d'adresse et pas mal d'ingéniosité. Aussi, la soirée était-elle bien entamée lorsque les deux compères achevèrent leur travail. Monsieur Léon quitta la boutique de l'odieux Collamouche, un dentier rafistolé dans la bouche et une mystérieuse boîte en carton sous le bras. Le retraité prit le chemin du restaurant, où il allait pouvoir tester l'efficacité de la colle dentaire de son complice. Celui-ci lui avait assuré que son appareil était à présent incassable ; il avait même réussi à le convaincre de se le coller sur le palais.

Lorsque Monsieur Léon arriva devant la vitrine de Chez la mère Lulu, il fut cordialement accueilli par le directeur, qui attendait les clients sur le pas de la porte.

– Ah ! cher monsieur Grospaquet, lança le gérant rondouillard, quelle joie de vous recevoir ce soir encore dans mon établissement ! Je vous ai mitonné ma spécialité : un rôti de chèvre aux olives, arrosé d'une sauce aux rillettes ! Vous m'en direz des nouvelles !

En entendant prononcer le nom de Grospaquet, Monsieur Léon faillit se retourner mais il se souvint juste à temps qu'il avait usurpé l'identité de son voisin pour ne pas régler la note.

Le directeur, courbé en deux, entraîna son meilleur client dans la salle à manger.

La pièce était aussi joliment décorée qu'au déjeuner. De belles bougies vertes et rouges étaient plantées dans de magnifiques canettes de soda vides, posées au centre de tables drapées de nappes rose défraîchi. Une odeur de poil de biquette roussi flottait dans l'air et vous chatouillait les narines.

Le retraité constata avec étonnement que la salle était déserte. Pas un seul client en pleine heure de pointe ! Il y avait seulement Hector en smoking blanc, qui, assis sur une chaise dans un coin, était occupé à lire le journal.

Monsieur Léon ressentit une joie intense : le quotidien que tenait le serveur était celui dans lequel passaient les petites annonces ! Une nouvelle idée diabolique passa dans la cervelle du vieux bonhomme.

– Vous servez aussi les petits déjeuners dans votre noble établissement, cher directeur ? demanda-t-il.

Le directeur acquiesça, les yeux humides d'émotion. Comme ce client était fidèle !

– Si vous le désirez, nous pouvons ouvrir spécialement pour vous dès demain matin, cher monsieur Grospaquet ! Je vais préparer moi-même du café, et Hector ira vous chercher des croissants chez le boulanger !

Hector leva les yeux de son journal et fronça les sourcils.

– Vous êtes admirable, cher directeur ! s'exclama Monsieur Léon avec emphase. Avec les croissants, n'oubliez surtout pas de prendre le journal. J'aime bien lire les nouvelles au petit déjeuner… Euh… Un verre de vin blanc à la place du café, et vous ferez de moi un homme comblé !

Le patron du restaurant, de plus en plus courbé, susurra d'un ton doucereux qu'il était prêt à tout pour le bien-être des gens qui fréquentaient son restaurant.

– Merveilleux, merveilleux, cher directeur, dit le retraité en se frottant les mains. Et maintenant, passons à table ! J'ai hâte de goûter à votre rôti de chèvre sauce rillettes. D'autant qu'il faut que je me presse, je dois encore passer voir quelqu'un après dîner, et je n'aime pas me coucher tard…

– Que le service commence ! s'exclama le patron à l'adresse d'Hector. Vite, vite, le client n'attend pas !

Hector, qui n'aimait pas trop être bousculé dans ses petites habitudes, jeta un œil mauvais au directeur puis à Monsieur Léon. Ce nouveau client com-

mençait à devenir franchement embarrassant! Pour lui, un bon client était un client qui savait attendre entre chaque plat… une demi-heure minimum. Sinon il pouvait toujours aller manger dans un fast-food. Un repas de qualité, ça s'apprécie, ça se mérite! Et le service est un art!

Le directeur prit la gabardine de Monsieur Léon, mais ne put lui retirer sa boîte en carton des mains. Il fit asseoir le retraité à sa meilleure table, qui, elle, avait une nappe propre et une bougie dans un vrai chandelier! Avec précaution, le père Léon posa son carton sur la table, à sa droite, près de la corbeille à pain. Ensuite, il retroussa ses manches et noua sa serviette autour de son cou maigrelet.

Le directeur proposa l'entrée:

– Ce soir, il y a au menu de la soupe de radis à l'oseille ou de la salade frisée aux croûtons et aux merguez.

Le retraité opta sans hésiter pour la soupe, il se sentait attiré par les radis et l'oseille… Le directeur fit un signe à Hector, et le garçon se leva sans entrain de sa chaise pour se rendre en cuisine. Le patron le suivit de près.

Seul dans la grande salle à manger, Monsieur Léon caressa sa boîte et sourit en pensant au mauvais tour qu'il allait jouer à Gudul. Une fois de plus, l'ignoble père Collamouche avait eu une idée démoniaque pour assouvir sa vengeance ! Il lui avait composé une mixture à sa façon et lui avait préparé un scénario digne des meilleurs films d'horreur ! Un bruit de vaisselle cassée sortit le retraité de ses méditations malveillantes…

9

Des cris éclatèrent dans les cuisines.

Il reconnut la voix haut perchée d'Hector, qui hurlait qu'il n'était pas question qu'il prenne son service dès six heures du matin pour aller chercher des croissants à ce client ringard. Couvrant ses hurlements, le directeur lui fit remarquer que ce client ringard était leur seul client et que, s'il ne le bichonnait pas un peu, il pourrait mettre la clé sous la porte et fermer la boutique !

Monsieur Léon entendit d'autres assiettes se fracasser sur le carrelage ; puis le directeur apprit à son serveur que, s'il n'y avait plus de clients, Hector et sa manière de servir ainsi que Rufus et son talent de cuisinier y étaient peut-être pour quelque chose.

Une voix hystérique que Monsieur Léon n'avait pas encore entendue, retentit à ce moment-là :

– Qu'est-ce qu'elle a ma cuisine ? Elle est pas exquise, ma cuisine ? Elle est pas raffinée ? Eh bien, elle est bien trop bonne pour une gargote comme la vôtre, espèce de directeur du dimanche ! Est-ce que je vous parle de votre comptabilité, moi, môssieur ?

Le directeur, estomaqué, déclara avec hargne qu'il avait engagé deux sacrés rigolos, à côté desquels Laurel et Hardy étaient de vrais génies !

Ce fut le mot de trop, la goutte d'eau qui fait déborder le vase.

Un silence de mort s'ensuivit. Puis on entendit un claquement. Une orange arriva en sifflant de la cuisine dans la salle et vint s'écraser sur le torse de Monsieur Léon. Un tablier vola, puis une veste de smoking, qui atterrit sur une table en renversant une bougie.

Ensuite, Hector déboula dans la salle à manger, rouge de colère. Il était accompagné d'un gros

bonhomme cramoisi, coiffé d'une toque presque blanche.

– Allez, viens, Rufus! On part de ce boui-boui! cria le serveur. On n'est pas des esclaves! On y a gâché nos plus belles années!

Le dénommé Rufus opina de la toque :

– T'as raison, Hector! On rend not' tablier! Je ne vous salue pas, patron! Préparez juste not' chèque, on passera le prendre demain matin… au petit déjeuner, tiens!

Les deux hommes quittèrent le restaurant sans cesser de proférer des jurons et d'agiter les bras.

Le directeur sortit en trombe de la cuisine, une grosse bosse sur le crâne, la cravate sectionnée, une manche de sa chemise arrachée. De la purée dégoulinait de son pantalon, laissant des flaques sur son passage.

Il courut jusqu'à la porte d'entrée, restée ouverte, et hurla, les mains en porte-voix :

– Bon débarras! Allez chercher du travail dans un restaurant d'autoroute! Je ne veux plus vous voir dans mon établissement! Ce haut lieu de la gastronomie n'a que faire de nuls comme vous.

À court d'invectives, il claqua violemment la porte et se tourna vers Monsieur Léon. Il était cramoisi et en nage. Entre deux hoquets de rage, il s'excusa auprès de son client et lui assura que le service pourrait reprendre dans quelques instants, ce à quoi Monsieur Léon lui fit gentiment remarquer qu'il ne disposait plus ni de serveur, ni de cuisinier. Mais cela ne sembla pas inquiéter le gérant plus que ça.

– Laissez-moi trois minutes, et vous verrez ce qui a fait la grandeur et la renommée de La mère Lulu assura le pauvre bougre en ramassant la toque et en quittant la salle.

Monsieur Léon regarda sa montre. Vingt heures déjà ! Avec toute cette histoire, il sentait qu'il n'allait pas se coucher à l'heure ! Dans le passé, à cette heure-là, il préparait la gamelle de Toutoumou du soir à Oscar, il fermait sa maison et il montait se coucher. Décidément, depuis le départ du chien, sa vie était complètement chamboulée. Il se promit d'y remédier.

Les trois minutes furent vite écoulées, et Monsieur Léon eut le plaisir de voir arriver dans la salle à manger le directeur-serveur-cuisinier en une seule personne. Coiffé de la toque, vêtu d'un superbe costume caca d'oie, drapé dans un long tablier sur lequel était écrit : «Du respect, moi, je bosse !», il avait fière allure.

Un bol de soupe aux radis et à l'oseille, en équilibre sur sa paume droite, un plat de rôti de chèvre sur la gauche, il glissait comme un patineur, évoluant avec grâce entre les tables.

– La direction vous prie de l'excuser pour ce léger contretemps et vous propose d'accepter ce repas gratuitement, dit-il cérémonieusement en s'arrêtant devant son client. Nous espérons que le dîner sera à la hauteur de votre palais délicat...

Il le fut. Monsieur Léon se régala. Les mets étaient fameux, et le service, orchestré d'une main de maître par le directeur-serveur-cuisinier, se révéla en tout point parfait. Pas de temps mort entre les plats, une petite musique d'ambiance, des verres de vin remplis juste au bon moment... Aussi, Monsieur Léon fut-il désolé lorsqu'il cala après la quatrième mousse au chocolat. Il se délecta d'un petit café et se hâta de prendre congé. En hôte attentionné, le directeur lui tendit sa gabardine.

Le vieux bonhomme, ému par tant de délicatesse, faillit en oublier sa boîte en carton. Vigilant, le directeur s'en aperçut et s'empressa de la lui apporter. Le remerciant pour sa sollicitude, Monsieur Léon lui donna rendez-vous au lendemain matin pour prendre son petit déjeuner à sept heures tapantes. Le gérant, heureux d'avoir su garder la confiance de son seul client, ferma le restaurant, guilleret.

À l'instant même, Monsieur Léon abandonnait son rôle de gentil client… Il avait une vengeance à accomplir…

10

C'est un Monsieur Léon frais et détendu qui débarqua le surlendemain matin Chez la mère Lulu… Il avait bien assouvi sa soif de vengeance ; et Gudul avait dérouillé !

Le directeur du restaurant l'attendait sur le pas de sa porte. L'arrivée de son plus fidèle client lui donna des couleurs, et un sourire commercial lui barra le visage. Les deux bras en l'air, il s'exclama :

– Cher, cher, cher monsieur Grospaquet ! Quelle joie pour moi de vous accueillir de si bon matin ! Que la journée vous soit douce, ô délicat gourmet !

Monsieur Léon trouva que le directeur en faisait un peu trop, mais il s'abstint de tout commentaire.

– Je vous ai acheté vos croissants ainsi que votre journal, monsieur Grospaquet, continua le patron en le suivant à l'intérieur. Venez, venez que je vous verse votre caf… pardon, votre verre de vin blanc.

Il débarrassa le retraité de son manteau et le conduisit dans la salle à manger. Monsieur Léon prit sa place à la table qui était désormais la sienne, poussa les assiettes sales oubliées là et demanda le journal. Il avait non seulement hâte de voir si son correspondant lui avait répondu, mais il était aussi très intéressé par la une… Avec un peu de chance, on y parlerait de lui et de l'affaire Gudul…

Royal, le directeur-serveur déposa trois croissants dans la corbeille à pain, puis retourna chercher le journal et le vin blanc. Un instant plus tard, le retraité se divertissait à la lecture de l'article en page principale tout en sirotant son vin.

Un gros titre annonçait :

GUDUL, EX-SERVEUR DU BAR DES AMIS, ATTAQUÉ PAR DES ESPRITS FRAPPEURS

Au-dessous, on découvrait la photo du serveur, englué dans une mixture grisâtre et gluante, une expression de terreur sur le visage.

Monsieur Léon croqua dans un croissant, but une nouvelle gorgée de vin et lut avec délectation :

« … Avant-hier, un peu après 21 heures, Gudul, le serveur du bar des Amis résidant à l'étage, en congé pour des problèmes nerveux, a été tiré de son lit par des bruits étranges. N'écoutant que son courage, il est descendu en salle.

Et là, sur le bar, il a vu le fantôme d'un consommateur décédé d'un malaise cardiaque quelque temps auparavant et dont le corps avait mystérieusement disparu.

Pensant d'abord à un canular, le serveur s'est précipité sur le fantôme, mais le corps immatériel s'est volatilisé, pour réapparaître un peu plus loin. L'ectoplasme, puisqu'il faut bien lui donner un nom, s'est mis à ricaner méchamment puis a exécuté une danse de Saint-Guy autour de sa victime en hurlant comme un Sioux. Il l'a ensuite recou-

verte d'une matière visqueuse et gélatineuse (voir photo), certainement du slim ectoplasmique. Seule preuve matérielle de la mésaventure du malheureux serveur, la mixture est actuellement en analyse.

Alors, canular ou revenant ? La police mène l'enquête. En attendant, le serveur, retrouvé hier midi en haut de la girouette de l'église, a été hospitalisé dans un état préoccupant. On ignore, à l'heure où nous mettons sous presse, s'il sera possible de le dégager de cette étrange mélasse.

Aux dires du médecin-chef de l'hôpital Saint-Bracassé, le slim durcit dangereusement et aucun solvant ne semble avoir de l'effet… »

Monsieur Léon leva son verre et trinqua avec un ami imaginaire, se disant qu'il lui faudrait passer féliciter le père Collamouche. Son mélange de colle, de mastic et de Toutoumou avarié avait fait merveille ! Sans parler de son idée de projeter une diapositive contre le bar le représentant en pur esprit.

– À la santé de Gudul et au génie de Collamouche ! s'écria-t-il en ricanant.

Il termina son verre et, sans s'apitoyer sur le sort du serveur, passa à la page des petites annonces. Ses doigts se mirent à trembler lorsqu'il découvrit que son correspondant lui avait écrit.

Son cœur battit la chamade lorsqu'il lut :

Annonce N° 452323-3

**D'abord, merci pour votre nouvelle lettre,
elle m'a fait très plaisir.
Je suis heureux de pouvoir converser
avec un fin gourmet ;
ils sont si rares de nos jours !
Vous me demandiez si j'aime dîner
au restaurant et sortir le soir.
Cela m'est difficile en ce moment,
mais je fréquentetout de même
une sorte de cantine.
Les repas y sont acceptables,
mais l'ambiance déplorable !
On m'appelle, d'ailleurs.
Je dois vous laisser.
Là où je me trouve, il vaut mieux filer doux...**

ÉCRIVEZ-MOI
À très bientôt !
Écrire au journal, qui transmettra

Le retraité crut un instant que son cœur allait exploser dans sa poitrine tant sa joie était immense… Il versa une petite larme d'émotion : son ami lui avait écrit, Gudul avait payé, le père Grospaquet allait avoir une sale surprise en recevant un de ces quatre la note du restaurant… Cette journée s'annonçait fantastique. La vie était merveilleuse !

– Mettez ce petit déjeuner sur ma note, patron ! lança-t-il, joyeux. Et, tant que j'y pense : vous ne verrez aucun inconvénient, je suppose, pour que j'invite très prochainement un ami… toujours sur ma note, cela s'entend !

Le directeur, trop heureux de récupérer un second client potentiel, lui assura que les amis de monsieur Grospaquet étaient les amis de La mère Lulu et qu'il s'engageait à les recevoir dignement.

Conforté par ces belles paroles, Monsieur Léon quitta le restaurant, le journal négligemment calé sous son bras. En chemin, il croisa Mlle Grasdumous, qui partait faire son marché. La vieille fille lui adressa un sourire aimable, et le retraité lui répondit par un petit signe amical.

Un jour, il le savait, il aurait le courage de lui faire la bise ! L'idée de déposer un baiser sur les joues velues et verruqueuses transporta de joie notre amoureux transi, et, en trois enjambées, il se retrouva dans son jardinet.

11

Dès qu'il rentra à la maison, Monsieur Léon se précipita dans le cellier, où il choisit une dizaine de pommes pas trop pourries. S'il y avait quelque chose qui ne manquait pas chez lui, c'était bien les pommes, la farine et le sucre. Il en avait une véritable cargaison à écluser[1].

Passant une toque jaunie et un vieux tablier estampillé «Restauration des chemins de fer», il entreprit aussitôt la confection d'une de ces fabuleuses tartes aux pommes, dont lui seul avait le secret. Avec adresse, il découpa de petites tranches de fruits

---

1. Lire *Chantage au poulet,* Délires n° 236.

en prenant garde d'enlever les parties moisies. Il prépara ensuite une belle pâte feuilletée, qu'il étala dans un grand moule à tarte. Il fit préchauffer le four, étala les pommes tranchées sur la pâte et mit sa tarte à cuire.

Pendant la cuisson, le retraité monta écrire le message à l'attention de son mystérieux ami. Oscar n'étant plus là, la tarte aux pommes pouvait dorer gentiment sans risque de disparaître !

Dans un élan de générosité peu coutumier, Monsieur Léon avait décidé d'offrir sa pâtisserie à son correspondant gourmet, ce qu'il expliqua en ces mots :

Cher Ami(e),

D'abord, merci pour votre annonce dans le journal. Je suis comblé de converser avec une personne de votre qualité.

Au sujet des cantines, vous avez tellement raison ! Ce sont souvent des lieux mal fréquentés (prenez, par exemple, les cantines scolaires, pleines d'affreux garnements qui ne pensent qu'à se jeter des petits-suisses à la figure et qui

n'attendent qu'une chose : que leur bon
surveillant glisse sur un tapis de petits
pois).
Cela dit, pour un petit budget, la cantine
reste une solution si l'on veut se
distraire et dîner dehors.
Je joins à ma lettre une tarte aux pommes
de ma fabrication ; j'espère qu'elle vous
arrivera en bon état, et surtout qu'elle ne
sera pas mangée par les gens du journal. Je
me méfie des journalistes, c'est voleur,
menteur et compagnie ! J'attends que vous me
disiez ce que vous en avez pensé (pas des
journalistes, de ma tarte aux pommes !)
En souhaitant pouvoir dîner un jour
prochain au restaurant avec vous (c'est moi
qui invite),
Amitiés sincères,
Votre nouvel ami.

Le retraité vérifia l'orthographe du mot « sincère »
dans le dictionnaire, puis plia et scotcha la lettre,
comme il en avait désormais l'habitude.

Il descendit en cuisine, juste à temps pour sortir la tarte du four. Une bonne odeur de pâtisserie chaude remplissait la pièce. Les mains enveloppées dans de vieux chiffons pour ne pas se brûler, il déposa la tarte sur la table et contempla son travail.

Comme elle était appétissante ! Comme il l'aurait bien gardée pour lui !

Le bonhomme reprit sa respiration et chassa cette vilaine pensée. Cette tarte, il l'avait faite pour son ami, et pour personne d'autre !

Il prit le journal qu'il avait posé près de la gazinière et en arracha la première page, celle où l'on parlait des ses exploits. À l'aide de punaises, il accrocha sur le mur de la salle à manger ce grand moment d'actualité, puis retourna découper l'annonce de son cher ami. Il plia le petit carré de papier et le glissa dans son portefeuille.

Le reste du journal fut étalé sur la table, et Monsieur Léon y déposa avec maintes précautions la magnifique tarte. Il ramena sur le dessus les feuilles de papier gris et noua une méchante ficelle de cuisine autour du paquet improvisé.

Soudain, Monsieur Léon pensa à quelque chose

d'affreux, et la satisfaction d'avoir fait une si belle pâtisserie s'effaça pour laisser place à la plus terrible des angoisses. Il souleva le paquet d'une main tremblante ; il lui parut lourd, affreusement lourd. Au moins un kilo !

Et un kilo à affranchir pour un envoi postal, ça coûte une fortune !

Le malheureux se mit à tourner en rond dans la cuisine, les mains dans le dos, l'air extrêmement concentré. Il devait bien exister un moyen de faire parvenir la tarte à son ami sans dépenser un rond ! À force de cogiter et de tourner comme un lion en cage, le retraité fut pris de vertige. Il sortit sur son perron pour prendre l'air.

Dans le jardin d'à coté, le père Grospaquet sortait sa moto en jurant que ça allait barder ! Monsieur Léon s'approcha de la palissade séparant les deux propriétés et héla son voisin :

– Eh bien, mon cher voisin ! Vous m'avez l'air drôlement énervé ! Des soucis, peut-être ?

Il avait envie d'entendre Grospaquet se plaindre, rien ne lui faisait plus plaisir que de savoir son meilleur ennemi dans l'embarras.

– Oui, des soucis, et des gros ! Je viens de recevoir un courrier des impôts ! répondit celui-ci en enfilant son casque. Ils m'annoncent qu'ils viennent tout saisir chez moi, alors que j'ai réglé ce que je leur devais !… Rappelez-vous, c'est même vous qui avez posté ma lettre au percepteur !

Monsieur Léon confirma qu'il l'avait bien envoyée ; dans le caniveau, mais ça, il ne le précisa pas !

– Ils vont m'entendre ! Je peux vous dire que ça ne va pas se passer comme ça ! pesta Grospaquet. C'est pas mon problème s'ils ne sont pas capables de suivre leurs dossiers ! Mais on n'a pas le droit de menacer un honnête fonctionnaire à la retraite !

– Et qu'allez vous faire, mon bon Grospaquet ? demanda Monsieur Léon. Vous êtes bien désarmé face à cette administration puissante !

– Je vais monter de ce pas à la capitale demander audience au ministre des Finances ! répliqua le voisin, rouge de colère. Non mais ! Je ne me laisserai plumer sans protester ! Foi de Grospaquet !

– Attendez-moi un instant ! cria Monsieur Léon en courant vers sa maison. Je prends quelques affaires, et je viens avec vous !

– Vous allez témoigner comme quoi vous avez bien posté la lettre ? demanda Grospaquet, ému.

– Non, non, répondit le père Léon en ressortant vêtu d'un imper jaune fluo et les bras chargés. Mais puisque vous allez à la capitale, vous en profiterez pour me déposer à la rédaction de ce journal. J'ai un paquet à leur porter !

Stupéfait, Grospaquet vit Monsieur Léon et sa tarte aux pommes prendre place sur le siège arrière de sa moto.

– Allons, pressons ! lança le filou. Il est déjà onze heures ! Vous allez rater votre ministre !

Grospaquet mit le contact et fit rugir le moteur. La bécane et son étrange équipage quittèrent la rue Floriant dans un nuage de poussière.

– En route pour la capitale ! hurla le père Léon en faisant tournoyer la tarte dans les airs.

Le vent lui fouettait le visage, la vitesse le grisait. Pour un peu, il aurait embrassé son voisin. Il avait encore une fois évité des frais d'envoi inconsidérés, et n'aurait même pas d'essence à payer, grâce à ce cher, très cher Grospaquet !

12

Durant son expédition à la capitale, Monsieur Léon dut, la mort dans l'âme, investir dans l'achat de deux tickets de bus. Il avait espéré être véhiculé dans la grande ville par Grospaquet, mais celui-ci s'était un peu trop énervé devant le ministère des Finances et un car de CRS était venu le calmer. Ils l'avaient embarqué dans le panier à salade à grand renfort de matraques et coups de pied au derrière ; puis ils étaient repartis, toutes sirènes hurlantes. Bon gré mal gré, Monsieur Léon prit donc le premier bus, qui le mena à la rédaction du journal. Il y fut accueilli comme un roi et eut droit à une visite des locaux. Il comprit que sa belle histoire d'amitié avec le mystérieux correspondant intéressait beaucoup les journalistes, qui pensaient faire un article sur le sujet. Ravi que l'on parle une nouvelle fois de lui dans le journal, Monsieur Léon promit de se dégager un peu de temps pour une interview exclusive.

Il quitta la rédaction vers seize heures, sans avoir pu percer l'identité de son mystérieux ami. « Secret professionnel ! lui avait assuré le rédacteur en chef en raccompagnant le retraité jusqu'à l'entrée. Nous ne pouvons rien vous dire, il y va de notre crédibilité… Désolé ! Sachez simplement que votre correspondant est un être exceptionnel, qui mérite votre confiance. Partez en paix, Monsieur, la tarte aux pommes lui sera remise dès ce soir. »

Bredouille, notre retraité prit donc le bus de seize heures dix-sept et arriva chez lui une heure plus tard. Exténué, il s'affala sur son canapé, où il ne tarda pas à s'endormir tout habillé.

Le lendemain matin, vers sept heures, Monsieur Léon fut réveillé par le ronronnement d'un camion.

Le retraité quitta son sofa et fit jouer ses articulations douloureuses. Il s'approcha de la fenêtre et vit un camion de déménagement garé devant la maison de Grospaquet. Sur la bâche était écrit :

Huissier de justice, Maître Larafle
Confiscations et Saisies.

Les impôts n'avaient pas traîné ! Le pauvre Grospaquet allait perdre tous ses biens.

Touché par la misère de son voisin, Monsieur Léon se promit de faire un geste : il pourrait lui prêter le coussin d'Oscar pour dormir et le dépanner d'une ou deux boîtes de Toutoumou… Il irait même jusqu'à lui refiler l'intégralité de son sac de pommes !

À l'évocation des pommes, le bonhomme se rappela que son petit déjeuner ainsi que son journal l'attendaient Chez la mère Lulu. Il enfila prestement sa gabardine, sans s'apercevoir qu'il portait toujours son imper fluo, et fila au restaurant.

Le directeur était comme à l'accoutumée devant sa porte, le visage illuminé par son plus beau sourire commercial.

– Aaaah, monsieur Grospaquet ! Quelle joie de vous

revoir ! Vous m'avez causé du souci ! J'étais mort d'inquiétude lorsque je ne vous ai pas vu hier midi ni hier soir ! Je n'en ai pas fermé l'œil de la nuit !… En plus, ce matin, en achetant votre quotidien, j'ai lu en gros titre ceci…

Le titre s'étalait sur trois colonnes :

UN TERRORISTE NOMMÉ ARCHIBALD GROSPA-QUET TENTE D'AGRESSER LE MINISTRE DES FINANCES.

– Il s'agit d'un vague cousin, balbutia Monsieur Léon, très gêné. On s'appelle tous Archibald dans la famille. Versez-moi un verre de vin blanc que je lise ce qui s'est passé.

Le patron installa son meilleur client à la table habituelle et courut chercher un verre de vin blanc et des croissants.

Monsieur Léon en profita pour lire l'article. Le journaliste en avait rajouté un maximum, faisant passer le père Grospaquet pour un terroriste diabolique ; il racontait que le commissaire à la retraite avait foncé à moto dans la grille d'entrée du ministère, qu'il avait brisé plusieurs vitres et fracturé la porte d'entrée. Le gratte-papier expliquait ensuite que l'intervention de la gendarmerie et d'un car entier de CRS avait été nécessaire pour interpeller le forcené, au moment même où il tentait d'étrangler le brave, le gentil ministre des Finances.

Monsieur Léon frémit, car dans l'article on parlait aussi d'un mystérieux complice qui s'était enfui en prenant en otage les passagers d'un autobus. Une chance : le reporter n'avait pas donné trop de détails.

Le retraité se détendit et soupira que ces gens-là ne savaient vraiment pas quoi inventer pour augmenter le tirage !

Le directeur-serveur revint et déposa un godet d'alcool sur la table de son client.

– Alors, comme ça, c'est un cousin ? demanda-t-il, inquiet.

– Lointain, très lointain, le rassura Monsieur Léon. Vous savez, on ne se fréquente pas ! C'est la brebis galeuse… la honte de la famille Grospaquet.

– Alors, rien avoir avec vous, cher client, qui êtes si fin, si calme ! Viendrez-vous déjeuner à midi ? Et quand aurais-je la joie d'accueillir votre ami ? Il me reste du rôti de chèvre, que j'ai peur de perdre.

– Avec un peu de chance, je vais pouvoir vous dire cela dans un instant, cher directeur, répondit le faux Grospaquet en ouvrant, avec beaucoup de noblesse, le journal en page quinze.

Il tomba directement sur ce qu'il cherchait : la petite annonce. Apparemment, le rédacteur en chef avait tenu sa promesse et avait transmis la tarte. En échange, son mystérieux correspondant avait répondu à sa lettre.

Le retraité eut le plaisir de lire ceci :

Annonce N° 452323-4

Tout d'abord, merci, cher ami,
pour votre tarte aux pommes !
Elle était excellente.
(même si, pour des raisons personnelles,
la pomme m'écœure un peu en ce moment).
Vous me paraissez
si sympathique que j'accepte
avec joie votre invitation.

Proposez-moi une date…
Nous passerons bientôt
une charmante soirée au restaurant.
Amitiés.

Écrire au journal, qui transmettra.

– Oui, je viendrai à midi, oui, vous allez avoir la joie de rencontrer mon ami très bientôt ! lança Monsieur Léon en se levant pour exécuter quelques pas de danse. Aaaahhh, comme je suis heureux !

Et sans donner plus de précisions, il quitta le restaurant, laissant son imper fluo et ses croissants.

Le patron de Chez la mère Lulu, interloqué, commençait sérieusement à se demander si son plus fidèle client n'était pas aussi toqué que son cousin terroriste !

Atterré, le restaurateur retourna se coucher. Monsieur Léon, lui, courut s'enfermer dans son bureau pour écrire la plus belle, la plus romantique, la plus fantastique des lettres jamais composées !

13

Cher ami(e),

Quelle joie vous me faites en acceptant mon invitation !

Que pensez-vous d'un dîner au restaurant Chez la mère Lulu, après-demain ?

Le cadre y est agréable et la cuisine raffinée. Je connais personnellement le chef, qui se fera un plaisir de nous faire visiter les cuisines.

Confirmez-moi vite votre accord et précisez-moi la marche à suivre pour nous rencontrer…

Signé : Votre nouvel ami.

Monsieur Léon ne relut même pas sa lettre. Satisfait de lui, il se contenta de la plier en quatre, de la scotcher et de la glisser dans sa poche.

Ensuite, il se gratta l'intérieur de la narine gauche, signe d'une intense réflexion : pour emmener son ami(e) dîner au restaurant, il devait être présentable… Il lui fallait donc un beau costume. Aïe : Les vêtements coûtent cher, et le retraité n'avait pas beaucoup d'occasions de s'habiller. Il imagina donc un instant emprunter un costume à une personne de son entourage.

Il passa en revue dans son crâne la liste de ses « amis ». Ce fut vite fait : en dehors du vieux Collamouche, il n'y avait personne de confiance. Hélas, le commerçant bossu était bien plus gros et beaucoup plus petit que lui.

Le retraité fut tenté de profiter de la saisie et d'aller « emprunter » une veste chez Grospaquet, mais il se retint, de peur d'avoir des ennuis avec maître Larafle et ses déménageurs.

Monsieur Léon continua de se creuser la tête : il devait bien exister une solution pour s'habiller sans engraisser les marchands de fripes de la ville !

La location fut écartée tout de suite par le grigou : non seulement c'était payant, mais, en plus, il fallait rendre la tenue après utilisation !

Ah ! s'il avait eu l'occasion de se marier, il aurait eu un costume à se mettre ! Mais il était resté vieux garçon et investir dans un habit en prévision d'un mariage avec Mlle Grasdumous lui paraissait un peu prématuré…

En quelle occasion avait-il été contraint de bien se vêtir ? Le retraité rembobina dans sa cervelle le film de sa vie et se le projeta en accéléré. Il se rappela de sa première communion… son éviction de l'équipe de foot poussins… son armée… son entrée comme préparateur en sauces dans la restauration ferroviaire…

Eurêka ! Il se rappelait !

Un jour dans sa vie, il avait porté un costume !

Il grimpa comme un fou au grenier et se mit à chercher une vieille malle. Il la trouva abandonnée derrière un vélo rouillé. Il l'ouvrit d'une main tremblante et se mit à fouiller dedans frénétiquement. Il fit voler de la caisse un vieux manteau de fourrure dépoilé, une panoplie de pompier défraîchie, de vieux os à moelle, cachés là par Oscar, et découvrit enfin ce qu'il était venu chercher : un costume dit queue-de-pie, couleur marron glacé, que lui avait fourni la Compagnie des chemins de fer en 1937 pour servir le président Léon Badablum alors qu'il effectuait un déplacement officiel par le rail.

L'émotion remplit le cœur du retraité. Non pas à cause de l'évocation de ce moment historique, mais parce qu'il disposait d'un costume presque neuf, et surtout gratuit !

Évidemment, après toutes ces années, le costume défraîchi sentait un peu le moisi. Qu'à cela ne tienne : un coup de déodorant ainsi qu'un passage au fer, et l'illusion d'un bel habit serait parfaite.

Tout heureux, le retraité descendit au trot dans la cuisine et sortit sa planche à repasser. À coup de pattemouille, de petits jets de vapeur et de persévérance, il redonna à sa trouvaille une forme correcte. Ensuite, il prit sa bombe de désodorisant pour toilettes « Fleurs de printemps » et vaporisa du sent-bon sur le vêtement.

– Voilà, comme ça, c'est impeccable, dit-il dans un sourire.

Il accrocha le costume au portemanteau de l'entrée. La matinée était terminée. Il fallait songer à déjeuner. Le filou prit donc la route du restaurant.

À l'angle de sa rue, il doubla Mlle Grasdumous, qui se rendait elle aussi en ville. La vieille fille avait troqué ses bas de laine noirs contre de magnifiques chaussettes montantes à rayures roses et vertes, assorties à son fichu. Elle expliqua à son voisin et admirateur qu'elle se rendait à la poste pour renvoyer un surplus de pelotes de laine au fabriquant. Le vieux Léon hésita un instant, regarda le paquet couvert de timbres multicolores, hésita de nouveau, se gratta la narine gauche et avança d'un ton mal assuré :

– Ma bonne amie, permettez-moi de vous éviter de la fatigue. Euh… je me rends au centre-ville. Laissez-moi vous déposer votre paquet.

La vieille fille lui confia son colis sans se poser de questions.

– Vous me rendez un grand service, vous savez ! lui dit-elle de sa petite voix chevrotante. Mes cors aux pieds et mes varices me font bien souffrir en ce moment !

– Rentrez chez vous, ma bonne amie, et trempez vos petons dans une cuvette d'eau chaude avec de la moutarde ! Vous verrez, vous vous sentirez beaucoup mieux !

En le remerciant de son aimable conseil, la vieille fille fit demi-tour et trottina vers sa maison.

Monsieur Léon continua son chemin. Il ne se sentait pas très fier. Tout en marchant, il contempla le paquet : dix beaux timbres tout neufs étaient collés dessus !

– Bah ! pensa-t-il. Un de plus, un de moins, quelle différence !

Et, sans autre forme de procès, il en décolla quelques-uns. Mademoiselle Grasdumous n'en saurait sans doute jamais rien, et le filou avait ainsi de quoi envoyer sa lettre.

Après avoir salué les singes du cirque Zapetata et déposé les deux envois dans la boîte aux lettres, le vieil escroc alla savourer un déjeuner bien mérité.

14

Annonce N° 452323-5

À MON TOUR D'ÊTRE ÉMU, CHER AMI !

Nous allons enfin nous rencontrer.
J'accepte avec le plus grand plaisir
votre invitation pour ce soir.

Retrouvons-nous à 20 heures,
dans le parc floral
devant le grand banc vert,

**près du bassin aux canards
(il est à deux pas de Chez la mère Lulu).
Pour que je puisse vous reconnaître,
mettez un nœud papillon,
MOI, JE PORTERAI UN
COLLIER ROUGE...
À CE SOIR !**

Telle fut l'annonce que Monsieur Léon put lire deux jours plus tard dans le journal en prenant son petit déjeuner Chez la mère Lulu. Sa joie fut immense : l'attente lui avait paru interminable, mais ça y était enfin ! Il allait pouvoir rencontrer son mystérieux correspondant !

Le retraité relut le dernier paragraphe : « Moi, je porterai un collier rouge... À ce soir. »

Un collier rouge ! Ainsi, son ami était une femme ! Peut-être que cette rencontre allait déboucher sur une merveilleuse histoire d'amour...

Il eut une pensée fugitive pour Mlle Grasdumous...

Eh bien, tant pis ! La vieille fille avait eu dix ans pour lui déclarer sa flamme ! Si une autre prenait sa place, elle ne pourrait s'en prendre qu'à elle !

Rêveur, Monsieur Léon replia le journal.

Il héla le pittoresque gérant, qui arriva en trotti-nant, armé de son balai et d'un vieux sac-poubelle turquoise.

– Cher directeur, lui dit Monsieur Léon aimable-ment. Sortez votre plus jolie nappe, vos plus belles bougies ! Ce soir, je serai accompagné… d'une dame ! Faites-nous le grand jeu ! Au diable l'ava-rice ! Je veux qu'il soit dit que Monsieur Léon… euh, Grospaquet est capable de se montrer royal ! Malheur ! Dans son élan, le vieux filou avait failli se trahir ! Mais le patron ne releva pas, trop content d'avoir un second client dans son restaurant.

– Je vais de ce pas me faire beau, déclara le retraité en levant le camp. Je ne viendrai pas vous embê-ter à midi, vous aurez ainsi tout le temps pour vous préparer !

– Il me reste toujours du rôti de chèvre, l'informa le restaurateur. Plus c'est réchauffé et meilleur c'est ! Comptez sur moi ! Tout sera parfait !

Il raccompagna le retraité jusqu'au pas de la porte et le regarda s'éloigner, ému, honteux d'avoir douté un instant de la santé mentale de son client. Tout était clair à présent : si ce brave Grospaquet avait pu paraître bizarre ces derniers temps, c'est simplement parce qu'il était amoureux ! Et lui, modeste gérant d'une humble gargote allait être le témoin privilégié d'une belle idylle naissante. En empoignant son balai, le directeur, émerveillé, se mit à danser une valse. Il se promit d'aller acheter vingt douzaines de roses pour décorer comme il se doit la salle et balaya le parquet en cadence tout le reste de la matinée…

15

Nul ne sut à quoi Monsieur Léon employa sa journée, mais le résultat était saisissant. Mororat, le chat de Mlle Grasdumous, n'en revint pas lorsqu'il vit sortir le retraité de chez lui à 19 heures tapantes. On eut dit un prince ! Un prince quelque peu défraîchi, mais un prince tout de même !

Vêtu de sa queue-de-pie, d'un chapeau haut de forme, de son imperméable fluo, le cou serré par un magnifique nœud papillon bordeaux, il avait belle allure. Pour compléter sa panoplie d'homme du monde, il avait emporté un vieux parapluie (il fallait l'ouvrir pour s'apercevoir qu'il était tout déglingué).

Droit comme un piquet, fier comme un paon, le retraité prit le chemin du parc floral.

D'un pas alerte et souple, le bonhomme avançait perdu dans ses pensées… Quelle tête pouvait bien avoir sa correspondante? Était-elle aussi ravissante que Mlle Grasdumous? Arriverait-il à la séduire? Autant de questions sans réponse qui encombraient sa cervelle. Notre play-boy était à ce point distrait qu'au moment de passer le portail du jardin public il s'emplafonna littéralement dans un fauteuil roulant, qui venait en sens inverse! Un juron, suivi d'un cri, le ramena immédiatement à la dure réalité. En face du bonhomme, dans le chariot renversé, se tenait un personnage fulminant et gesticulant. Un individu recouvert d'une mixture gluante et grisâtre, en la personne de qui Monsieur Léon reconnut Gudul! Oui! Gudul, le serveur du bar des Amis! Celui-là même qui avait eu la visite du fantôme léonnien!

Le père Léon pâlit, car il y avait pire… bien pire! Alors que Gudul essayait vainement de se redresser et de remettre son fauteuil d'aplomb, le retraité découvrit avec horreur que les personnes qui véhi-

culaient le chariot n'étaient autres qu'Hector et le gros Rufus, ex-employés de Chez la mère Lulu !

– Espèce de Grospaquet ! hurla le serveur, rouge de colère. Vous ne pouvez pas faire attention ? Notre pauvre cousin sort tout juste de l'hôpital, et voilà que vous essayez de le tuer !

Monsieur Léon tenta de s'excuser, mais Rufus ne lui en laissa pas le temps et l'empoigna par la queue-de-pie.

Gudul, qui s'était redressé tant bien que mal, cria à l'adresse de ses deux cousins :

– C'est lui ! C'est le fantôme ! C'est Monsieur Léon ! Mais… il n'est pas mort, ce cochon ! C'est lui qui m'a englué avec ce truc infâme !

– Tu fais erreur, mon Gudul, affirma Rufus en soulevant Monsieur Léon en l'air. Lui, c'est Archibald Grospaquet ! C'est à cause de lui que nous avons perdu notre place Chez la mère Lulu.

Monsieur Léon, pendu par la queue-de-pie tenta de se composer un sourire de circonstance : gêné, mais attendrissant.

– Je te dis que c'est Monsieur Léon ! tempêta Gudul, de nouveau calé dans son fauteuil. Je ne suis pas fou tout de même ! Rappelez-vous, les gars, l'affaire du chien qui envoyait des lettres anonymes ! Le journal en a parlé ! C'était lui, avec son satané clébard, Oscar !

– Maintenant que tu me le dis…, susurra Hector en collant son nez au visage de Monsieur Léon… Je savais bien que j'avais déjà vu cette tête quelque part…

– Mais alors pourquoi s'est-il fait appeler Archibald Grospaquet lorsqu'il s'est présenté au restaurant ? s'étonna Rufus, qui avait du mal à suivre.

Monsieur Léon commença à s'agiter furieusement. La situation devenait critique ! Il risquait fort de passer un sale quart d'heure.

– Tu n'as pas encore compris, gros nigaud ! râla Gudul en secouant péniblement sa tête engluée. Ce type est un escroc !

– … et il a endossé une fausse identité pour ne pas payer sa note ! renchérit Hector, rageur.

À cet instant précis, la queue-de-pie céda, et le retraité se retrouva par terre. Sans demander son reste, il prit ses jambes à son cou et courut aussi vite qu'il put se réfugier dans le parc.

Derrière, il entendit Gudul hurler :

– Attrape-le, Rufus ! Fais-lui une tête au carré ! Hector ! Va tout dire à ton patron ! Appelez la police ! Avec un peu de chance, vous retrouverez votre travail, et ce saligaud paiera pour tous ses crimes !

Monsieur Léon sauta par-dessus une haie et traversa la pelouse interdite. Le gardien du parc, très à cheval sur le règlement, souffla dans son sifflet pour arrêter le contrevenant et le verbaliser.

Mais le père Léon continua à détaler comme un lièvre en danger de mort.

– Aaah ! Délit de fuite ! Ton compte est bon, mon gaillard ! entendit-il dans son dos.

Le gardien sauta sur sa bicyclette et s'élança à la poursuite du fuyard.

Sans s'arrêter, Monsieur Léon jeta un coup d'œil derrière : Rufus et le gardien n'étaient qu'à une vingtaine de mètres. Il força encore le pas. Son cœur battait à trois cents à l'heure. Il savait qu'il ne pourrait pas tenir très longtemps. Il tourna brusquement à gauche. Le gardien réagit trop tard, et il s'encastra dans un platane.

« Un de moins ! » pensa le bonhomme.

Sa joie fut de courte durée, car il tamponna à son tour un passant… et pas n'importe quel passant! Archibald Grospaquet, couvert de bleus, de bosses et de pansements, vacilla et repoussa Monsieur Léon qui tomba à la renverse.

– Aaah, vous voilà! hurla l'ex-commissaire. Je vous cherchais! Je sors tout juste du commissariat où j'ai enfin pu me disculper! Grâce à mes relations, j'ai fait mener ma petite enquête! On a retrouvé ma lettre destinée aux impôts! Et vous savez où elle était, espèce d'escroc?

Monsieur Léon, tout tourneboulé, essaya quand même de ruser. Il proposa avec une moue mielleuse:

– Sous… sous le tas de bottins de la postière? Dans le fourgon postal?

– Pas du tout! vociféra Grospaquet. Dans le collecteur des égouts, à la sortie de la ville! Voilà où l'on a retrouvé ma lettre. Et ne faites pas cette tête innocente! C'est vous qui l'avez jetée dans le caniveau! C'est à cause de votre malhonnêteté que je suis ruiné, que j'ai fait de la prison et que je suis déshonoré!

Rufus les rejoignit à cet instant, essoufflé mais prêt à réduire Monsieur Léon en miettes.

– Aaaah, te voilà, faux Archibald Grospaquet ! Je vais te…, hurla-t-il.

Grospaquet ne le laissa pas finir sa phrase :

– Qu'est-ce que cela veut dire ? Il n'y a qu'un seul Archibald Grospaquet ici, et c'est moi !

– Archi, mon ami, essaya d'intervenir Monsieur Léon, ne vous fâchez pas, c'est juste une petite blague de rien du tout…

– Et l'addition pour une vingtaine de repas copieux au restaurant Chez la mère Lulu ? hurla Rufus, ivre de haine.

Les poings de Grospaquet s'abattirent sur Monsieur Léon. Mais celui-ci esquiva le coup meurtrier et glissa, telle une anguille, entre les jambes de l'ex-commissaire.

Grospaquet ne put agripper que le pantalon du filou, et c'est un Monsieur Léon en slip à fleurs qui reprit sa course folle.

Il n'alla pas bien loin : Mlle Grasdumous lui barrait le passage. La vieille fille, les bras en croix, glapissait en tapant des pieds :

– Fieffé filou ! Qu'avez-vous fait de mes timbres ? Le paquet de pelotes a été refusé pour frais de port insuffisant ! Je me retrouve avec un tas de laine dont je ne sais que faire ! Ah si, je sais ! Je vais vous les faire manger !

Le regard haineux de la vieille fille brisa le cœur du retraité ! Non seulement elle ne portait pas de collier rouge – et n'était donc pas sa mystérieuse correspondante –, mais, en plus, elle le détestait à présent au point de vouloir l'étouffer.

Soudain, le bonhomme trouva la vie bien injuste ! Mais il n'eut guère le temps de s'apitoyer sur son sort. Grospaquet, Rufus et le gardien du parc, rejoints par Hector, Gudul dans sa charrette, deux agents de police et un directeur de Chez la mère Lulu furibond arrivaient en vociférant.

Coincé par la demoiselle en furie d'un côté, et par la meute hystérique de l'autre, le pauvre Léon n'eut qu'une solution : plonger dans le bassin aux canards. Ceux-ci, reconnaissant leur persécuteur, lui martelèrent le crâne à coups de bec vengeurs. Monsieur Léon traversa le bassin d'un crawl digne d'un champion olympique. Exténué, trempé, plein de bosses, il émergea de l'autre coté du bassin… juste au pied du banc vert.

Le pauvre bonhomme regarda sa montre : vingt heures ! L'heure du rendez-vous avec sa douce amie au collier rouge.

Il n'osa pas lever les yeux tout de suite… Qu'allait donc penser sa correspondante en le voyant dans cet état ?

De plus, les cris se rapprochaient dangereusement. Il allait se faire lyncher !

Monsieur Léon n'avait plus rien à perdre. Avec l'énergie du désespoir, il regarda en direction du banc, et ce qu'il vit le stupéfia.

Le collier rouge était là. Et, dans le collier, se tenait Oscar, toutes dents dehors, le poil hérissé.

Il sauta du siège et se précipita en aboyant sur la foule des poursuivants.

Effrayés par la bête enragée, les assaillants reculèrent dans la confusion.

Oscar regarda son pauvre maître, l'air de dire : « Eh oui, c'est bien moi qui écrivais dans le journal ! File, mon vieux compère, tant que je tiens ces agités du bocal en respect. »

Monsieur Léon ne se le fit pas répéter. Il rassembla ses os endoloris et piqua un sprint vers l'horizon.

Lorsque la distance fut suffisante, Oscar baissa sa garde et abandonna les poursuivants médusés.

Il s'élança, ventre à terre, et il eut tôt fait de rejoindre son filou de maître.

Monsieur Léon courut encore longtemps vers l'ouest ce soir-là…

Il avait tout perdu, mais il était heureux d'avoir retrouvé son fidèle chien.

Entre les deux affreux, il y aurait toujours une réelle et belle correspondance.

Fin

Et pour **délirer** encore,
lis cet extrait
de

Chantage
au poulet

de Jérôme Ého

● ● ●

Ce matin-là était un matin comme les autres pour Monsieur Léon.

Rien ne pouvait laisser prévoir à ce brave cuisinier, retraité des chemins de fer, qu'en quelques instants sa petite vie tranquille allait basculer et devenir un véritable enfer…

Ce matin-là donc, Monsieur Léon revenait des commissions, accompagné de son fidèle et dévoué chien Oscar, un croisé teckel-saint-bernard, couleur beige-chaussettes-sales, long comme un saucisson et maigre comme un clou. Oscar n'était pas beau avec ses petites pattes velues et ses oreilles qui traînaient par terre, mais son vieux maître et lui étaient inséparables.

Pour la petite histoire, sachez que Monsieur Léon avait adopté Oscar alors qu'il travaillait encore dans les wagons-restaurants. Il l'avait sauvé des griffes du chef-cuisinier japonais, qui voulait le faire cuire au court-bouillon.

Oscar, passager clandestin sur la ligne Paris-Brest, alléché par une bonne odeur de poulet rôti, était sorti de sa cachette pour se rendre au wagon-restaurant. Il s'était introduit en cuisine et avait commencé à dîner le plus discrètement possible.

Il en était à son vingt-cinquième plateau-repas quand le cuisinier en chef, un ancien sumo de deux cent dix kilos pour deux mètres de haut, fit irruption dans la cuisine. Il attrapa Oscar par les oreilles, furieux. Et puisqu'il n'avait plus rien à servir pour le dîner, il lui parut naturel de préparer du clébard ! Il ficela donc la pauvre bête façon rôti et fit bouillir des nouilles et des carottes. Ce soir-là, les passagers du Paris-Brest dîneraient des boulettes de chien bouillies !

Sans l'intervention opportune de Monsieur Léon, chef des sauces et fromages, Oscar aurait fini son existence dans une casserole.

Ému par le regard désespéré du chien, Monsieur Léon s'était précipité sur le sumo. Personne ne sut exactement ce qui se passa par la suite. Sachez simplement qu'Oscar fut sauvé, que le chef-cuisinier disparut mystérieusement, et que les passagers du Paris-Brest dégustèrent de succulentes nouilles chinoises…

Quelques jours plus tard, Monsieur Léon et Oscar prenaient une retraite anticipée et venaient s'installer définitivement dans une petite bicoque de banlieue.

Mais reprenons notre histoire.

La demi-baguette sous le bras, le panier en osier dans la main gauche, Monsieur Léon s'apprêtait à ouvrir le portail de son jardinet, lorsque son regard fut attiré par quelque chose d'extraordinaire.

Du jamais vu : UNE LETTRE ! Il y avait une lettre

dans SA boîte aux lettres à LUI ! Lui à qui personne n'écrivait plus depuis si longtemps !

En dix ans de retraite, il avait dû recevoir, en tout et pour tout, cinq lettres, auxquelles il n'avait pas répondu, estimant que le prix exorbitant des timbres aurait gravement nui à son budget ! Ses rares correspondants avaient fini par se lasser, et Monsieur Léon avait peu à peu oublié l'existence de la poste.

D'ailleurs, le facteur ne passait même plus en décembre pour les calendriers. Il faut dire qu'au précédent Noël, Monsieur Léon avait lancé Oscar aux trousses du pauvre homme, à qui il ne voulait pas donner un franc. Le facteur en avait lâché ses calendriers dans la boue et avait réussi de justesse à s'arracher aux canines acérées de ce chien aussi féroce que stupide ! Du coup, il avait passé les fêtes de fin d'année les fesses dans une bassine d'eau tiède, un bras dans le plâtre et de gros pansements sur les mollets. C'est donc la mort dans l'âme qu'il avait dû glisser ce matin cette enveloppe dans la boîte !

C'était à la limite du croyable… Pourtant elle était bien là, cette lettre, un des coins dépassant de la boîte… Peut-être était-ce une erreur?

Il fallait en avoir le cœur net!

Monsieur Léon sortit de la poche de son pantalon un trousseau de clés et chercha celle de la boîte. Il y avait bien les trois clés du portail, les cinq autres de la porte d'entrée, celle de l'alarme, celles du frigidaire et du cadran de téléphone, celle du garage, celles de la deux-chevaux, de la remise et des antivols pour son vélo…

Mais aucune clé pour ouvrir la boîte aux lettres!

Monsieur Léon se tapota le front:

– Suis-je bête! Puisque je ne m'en sers jamais, j'ai dû la ranger à sa place; dans la boîte à clés de l'entrée!

Il ouvrit le portail et traversa rapidement son petit jardinet mal entretenu. Il s'essuya les pieds sur un calendrier oublié devant la porte et entra, suivi d'Oscar, dans son pavillon triste et humide. Il se précipita droit sur la boîte à clés, une simple boîte à chaussures munie d'un petit cadenas, clouée au mur du vestibule. Il tira avec précipitation sur le couvercle scotché à la boîte, qui s'arracha du mur. Misère ! Il n'y avait qu'une clé dans la boîte, et c'était celle du cadenas de la boîte à clés !

Pris d'une frénésie peu coutumière, Monsieur Léon se précipita dans la cuisine et ouvrit tous les placards et tiroirs. Rien. Idem pour la commode de la salle à manger et la table de nuit de sa chambre. À l'étage, rien non plus dans le secrétaire du bureau, pas plus que dans le placard de la bibliothèque.

Monsieur Léon jeta à terre tous les bouquins des rayonnages afin de vérifier si la petite clé n'était pas cachée derrière. Sans succès. Il souleva les tapis, chercha derrière quelques lés de papier peint décollés.

Pas de clé ! Hystérique, le retraité se laissa glisser le long de la rampe d'escalier et retourna, son chien toujours à ses basques, au rez-de-chaussée. Il alla fouiller le garage et la remise, ainsi que la niche d'Oscar, qui ne devait rien révéler d'autre qu'un vieil os, une couverture mitée et de vieux journaux déchirés.

Saisissant une pelle, Monsieur Léon demanda alors à Oscar d'aller l'attendre au pied de la boîte aux lettres. En bon chien, Oscar s'exécuta gentiment. Monsieur Léon regarda sur sa droite, puis sur sa gauche ; personne. Monsieur Grospaquet, son voisin, ne semblait pas présent, pas plus que Mademoiselle Grasdumous, la voisine d'en face. La voie était libre.

Découvre vite la suite de cette histoire dans

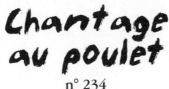

Chantage au poulet

n° 234

Tu as aimé **sourire et rire ?**

Alors les autres titres de  sont pour toi :

Imprimé en R.F.A. par Clausen & Bosse
N° d'Éditeur: 6710